마이너스 ——— 스쿨

이진 · 주원규 · 김의경 · 김설아 · 정명섭

(주)자음과모음

차례

옥상 아래 그 언니

이진

이진

『원더랜드 대모험』으로 제6회 블루픽션상을 수상하며 등단했다. 『기타 부기 셔플』로 제5회 수림문학상을 수상했으며, 지은 책으로 『카페, 공장』 『아르주만드 뷰티 살롱』, 그 외 단편 앤솔러지 『소녀를 위한 페미니즘』 『콤플렉스의 밀도』 『환상의 책방 골목』 『코스트 베니핏』이 있다.

거친 숨을 몰아쉬며 계단을 한 번에 두세 개씩 뛰어오른다. 내 머릿속에는 같은 장면이 무한 반복되고 있다. 수백 번도 넘게 상상한 탓에 현실보다 더 생생한 장면이다. 상상 속에서 나는 거꾸로 떨어진다. 꽃밭은 내가 흘린 피로 붉게 물들고, 아이들은 비명을 지른다. 사색이 된 선생님들이 나를 향해 달려온다. 경찰차와 구급차가 사이렌을 울리며 운동장 한복판으로 들이닥친다.

나는 계속해서 계단을 올라간다. 오직 한 가지 생각만이 내 등을 떠민다. 옥상으로 가자. 그러면 다 끝낼 수 있어.

독한 향기에 숨이 막힌다. 학교 앞 오솔길에는 커다란 아카시아 나무가 여러 그루 있다. 학교까지는 아직 한참 남았지만 바람에 실려 오는 은은한 꽃향기에 온몸의 솜털이 곤두선다.

나는 꽃향기가 싫다. 아카시아는 더욱 끔찍하다. 예전에는 싫어하지 않았지만 싫어졌다. 아카시아 향이 진해질수록 교문은 가까워지고, 엄습하는 향기를 피해 멀리 달아나고 싶어진다.

월요일 아침 교실은 시끌벅적하다. 겨우 주말 이틀간 떨어져 있었을 뿐인데 아이들은 호들갑스럽게 서로의 이름을 부르며 손을 맞잡는다. 하지만 아무도 내 이름은 부르지 않는다. 어쩔 수 없다. 반에서 나는 이름 없는 유령이니까.

죽지 않고 살아 있는 내가 유령이 된 이유를 다시 한번 생각해 본다. 그동안 만 번이나 곱씹어 보았지만 여전히 답을 모르겠다.

자리에 앉아 느릿느릿 책가방을 풀어 놓는다. 저만치 앞에서 그 애가 활짝 웃고 있다. 그 애의 단짝들이 앞다투어 그 애 이름을 불러 준다. 그 이름 세 글자를 듣는 것만으로 내 목덜미에는 소름이 돋는다. 그 애랑 단짝들은 찰떡처럼 서로에게 딱 달라붙어 단체 셀카를 찍는다. 그중 한 아이가 사진을 확인하다 얼굴을 찡그리며 중얼거린다.

"아 뭐야, 배경에 이상한 거 묻었어."

별로 크게 말하지도 않았는데 내 귀에는 고함 소리처럼 커다랗게 증폭되어 들린다. 그 애가 사진을 들여다보더니 대수롭지 않다는 듯 말한다.

"지우고 다시 찍어."

그냥 내 자리에 앉아 있었을 뿐인데 나는 남의 사진을 망치는 이물질이 된다. 그 애와 단짝들은 이번에는 내 존재가 배경에 걸리지 않도록 각도를 바꾸어 다시 셀카를 찍는다. 평범한 왕따의 일주일이 시작된다.

왜 이렇게 된 걸까?

만 번 하고도 한 번째로 내가 왕따가 된 이유를 곱씹어 본다. 계기는 트위터였다. 1학년 때 잠깐 하다 만 지금은 탈퇴해 버린 그 계정에 내가 올린 멘션이 화근이었다. '아, 정신병 도지네. 엄마 죽이고 싶다.' 그렇게 썼다.

내가 왜 그런 이상한 말을 썼는지 나도 모르겠다. SNS에 쓴 내용을 일일이 기억하는 사람이 세상에 몇이나 될까? 문제는 하필이면 그 애가 내가 올린 말을 봤다는 사실이다. 그 애는 내 트위터 계정을 낱낱이 캡처해 내가 정신병자라는 소문을 퍼트렸다. 왜 썼는지 기억나지도 않는 한 줄의 글 때문에 나는 자기 엄마를 죽이고 싶어 하는 위험한 정신병자가 되었다.

소문이 퍼지자 반 아이들은 나를 멀리하기 시작했다. 수업 시간에도 나와 같은 팀을 하려 들지 않았다. 그 애와 단짝들은 반 단톡방에서 내가 말을 꺼내기만 하면 미리 짠 것처럼 무시하거나 화제를 돌렸다. 그 뒤로 그나마 내 말에 반응해 주던 아이들도 전부 떨어져 나갔다.

내가 트위터에 그런 말을 쓰지만 않았다면. 시간을 돌릴 수만 있다면. 스스로를 원망하고 또 원망했지만 소용없었다.

"……사실 걔가 정신병자였대."

"진짜? 너무 싫다."

옆 분단 애들끼리 수다를 떨다 나온 말에 가슴이 서늘해졌다. 나를 두고 한 말이 아닐 수도 있다는 이성적인 생각은 얼어붙고 정신병자라는 네 글자만이 머릿속을 지배한다. 숨이 가빠 오고 식은땀이 솟는다. 나도 모르게 손톱으로 손등을 긁었다. 왕따를 당한 뒤 한 번도 앓아 본 적 없는 아토피피부염이 생겼다. 교과서 위로 굳은 피딱지가 우수수 떨어져 내렸다.

"아, 더러워."

그 애가 멀찍이 서서 나를 흘겨보며 내뱉었다. 짓이겨진 벌레를 보는 듯한 시선과 말투다. 그 애의 단짝들도 나한테 살충제를 뿌리고 싶은 표정을 짓고 있다. 아이들의 시선을 의식하자 손등이 한층 더 가려워졌다. 더러워, 더러워. 그 애의 목소리가 머릿속에서 메아리쳤다.

나는 손등을 감싸 쥐고 교실을 빠져나왔다. 아이들이 일제히 앞길을 터 주었다. 이럴 때만 나는 유령에서 벗어나 존재감을 얻는다. 이물질, 벌레 같은 존재감. 내 치맛자락이라도 스치면 정신병이 옮기라도 할 것처럼 서둘러 몸을 피하는 아이들. 그 애들 중 몇몇은 작년에는 나랑 같이 매점에 다니며 수다를 떨던 친구들이었다.

화장실에서 빨갛게 부어오른 손을 찬물로 씻으며 매일 하는 후회를 다시 한번 곱씹는다. 시간을 뒤로 돌릴 수만 있다면 트위터에 그런 말을 쓰지 않았을 텐데. 나는 살면서 아직 진짜 정신병을 앓아 본 적은 없지만, 이제는 정말로 병이 생긴 것 같다.

— 엄마 늦으니까 알아서 저녁 시켜 먹어.

저녁 늦게 엄마의 카톡이 도착했다. 나는 이미 알아서 김치볶음밥을 배달시켰다. 아빠가 회사를 그만두고 가게를 차린 뒤 엄마는 거의 매일 야근을 한다. 아빠는 늘 가게에서 혼자 저녁을 먹고 들어오고 나는 혼자 집에서 저녁을 먹는다.

오늘따라 김치가 너무 매워 땀이 뻘뻘 솟았다. 일어나서 창문을 열어젖혔다. 창문 밖 살구나무에서 매미가 날카롭게 울었다. 멍하니 선 채 땀에 젖은 셔츠 앞자락을 잡아당기며 열기를 식히다 문득 올해 처음 듣는 매미 소리라는 생각을 했다. 아파트 앞마당에서 뛰노는 아이들은 전부 반소매 셔츠에 반바지 차림이었다.

나는 팔뚝까지 번진 아토피 흉터를 가리려고 집에서도 긴소매옷을 입는다. 엄마는 한 번도 나에게 왜 계절에 맞지 않는 옷을 입느냐고 물어보지 않았다. 나는 날이 갈수록 못생겨지고 있다. 예쁜 옷을 입고 싶지도, 미용실에 가고 싶지도, 아토피 흉터에 약을 바르고 싶지도 않다. 거울을 보기 싫어서 방에 있던 전신 거울도 뒤집어 놓았다. 왕따를 당하다 보니 외모도 왕따스럽게 변해 간다.

내가 처음부터 왕따가 아니었던 것처럼 그 애도 처음부터 나를 미워하지는 않았다. 친하지는 않았지만 마주칠 때 알은척은 하던 사이였다. 내 어떤 부분이 그 애의 비위를 거스른 걸까? 나는 자꾸 나 자신에게서 이유를 찾는다.

그 애는 우리 집 맞은편에 있는 아파트에 산다. 그 사실을 안 뒤 나는 혹시라도 그 애랑 마주칠까 봐 아파트가 있는 큰길가를 피해 한참 돌아서 학교와 학원을 오갔다. 우리 집에서 학원 가는 길은 여러 갈래가 있다. 오늘은 평소보다 더 멀리 돌아 뒷산 둘레길로 향했다. 가파른 둘레길은 걷기는 힘들지만 아이들이 거의 다니지 않아서 마음은 제일 편하다.

나는 스마트폰으로 애니메이션을 보며 산책하듯 느긋하게 걸었다. 학교도 집도 아닌 곳에서 외따로 걷는 이 시간이 나에게는 가장 평화롭고 자유롭다. 애니메이션 주제가를 콧노래로 흥얼거리다 저만치 앞쪽에 어쩐지 눈에 익은 뒷모습이 시야에 들어왔다. 와장창. 나만의 평화가 사정없이 박살 나는 소리가 들렸다. 그 애였다.

그 애는 보라색 트레이닝복 차림으로 홀로 걷고 있었다. 내 콧노래를 들었는지 문득 고개를 쳐들고 좌우를 둘러보았다. 나는 숨을 죽이고 최대한 발걸음을 늦추었다. 제발 먼저 가 버려. 간절히 빌었지만 그 애는 앞서갈 생각이 없어 보였다. 모른 척 내가 앞질러 갈 용기도 나지 않는다.

"어."

나를 알아챈 그 애가 낮게 외쳤다. 제대로 된 인사도 아니고 내 이름을 부르지도 않았지만 그 애가 내 존재를 알아차린 것만은 확실했다. 가슴이 철렁하면서도, 동시에 묘한 안도감이 밀려들었다. 그 애가 나를 보고도 무시하지 않았다는 게 기뻐서. 나는 어쩌면 이렇게 비굴할까.

"뭐야, 너도 이 길로 다녀?"

그 애가 물었다. 꼭 내가 왕따가 되기 전으로 돌아간 것처럼 평범한 말투였다. 고개를 끄덕이자 그 애는 별말 없이 보고 있던 스마트폰으로 시선을 돌렸다. 단짝들에게 '둘레길에서 정신병자 만났어'라는 말을 보내고 있을지도 모른다고 생각하자 온몸이 굳으며 손등이 가려워지기 시작했다. 긁지 않으려고 주먹을 꽉 틀어쥔 채로 나는 그 애와 나란히 둘레길을 걸어 내려갔다. 어색한 침묵 속에서 나는 안달이 났다. 무슨 말이라도 해야 할 것만 같았다.

"저기, 있잖아."

조심스레 그 애의 안색을 살피며 말을 꺼냈다. 그 애가 고개를 들어 나를 쳐다보았다.

"어?"

나는 마른침을 삼키며 말했다.

"그때 내가 트위터에 그런 말 썼던 거…… 진짜 정신병 있어서 그런 거 아니거든."

그 애는 곱게 그린 눈썹을 찡그리며 큰 소리로 되물었다.

"뭐라고? 무슨 말?"

"그, 있잖아, 내가 옛날에 트위터에 이상한 말 썼던 거."

그 애의 목소리가 커지는 만큼 내 목소리는 기어들어 갔다. 내 목소리가 너무나도 한심하게 들린다. 입 안이 바싹 말라붙었다. 그 애가 한층 더 커진 목소리로 말했다.

"무슨 말인지 전혀 모르겠는데."

그 애는 정색을 하며 나를 바라보았다. 정말로 내가 무슨 말을 하는지 모르겠다는 표정이다. 그 표정에 담긴 감정이 얼마나 진실해 보이는지, 나도 모르게 나를 의심하게 되었다. 그 애는 이어 말했다.

"네가 아싸인 건 그냥 네가 노력을 안 해서 그런 건데?"

"무슨 노력……?"

멍청하게 되묻는 나에게 그 애는 모자란 아이를 참을성 있게 가르치는 선생님처럼 또박또박 가르쳐 주었다.

"무리에 섞이려는 노력."

내가 미쳤지. 왜 그 애한테 그런 말을 했을까. 하지만 이미 엎질러진 물이었다. 그 애가 나를 알아보고 먼저 말을 걸어 주어서 희망을 품었다. 혹시라도 그 애가 내 말에 귀를 기울여 주고 나를 무시하지 않을지도 모른다는 희망, 왕따에서 벗어날 수 있을 거라는 희망을. 지푸라기 같은 희망이어도 붙들고 싶었다. 그만큼 나는 절박했다.

다음 날 점심시간, 혼자 밥을 먹고 자리에 앉아 있는데 갑자기 스마트폰에 카톡 초대 알림 메시지가 떠올랐다. 왕따가 된 뒤 처음 받은 단톡방 초대라서 이게 꿈인가 생시인가 싶었다.

나를 초대한 건 그 애였다. 가슴이 뛰었다. 왜 얘가 갑자기 나를 초대하지? 혹시 어제 둘레길에서 나하고 대화한 것 때문일까? 초대에 응할지 말지 고민하는데 문득 어제 그 애가 내게 한 말이 떠올랐다. '무리에 섞이려는 노력.'

그래, 이건 기회일지도 몰라. 왕따에서 벗어날 기회, 패자 부활전의 황금 티켓. 실낱같던 희망이 마음속에서 무럭무럭 부풀어 오르는 것을 느끼며 나는 초대 수락 버튼을 눌렀다.

단톡방에는 그 애와 단짝들이 나를 기다리고 있었다. 하지만 아무도 내게 인사를 건네지 않았다. 텅 빈 채팅창을 보자 한순간 가슴이 선뜩해지며 불길한 예감이 스쳤다.

갑자기 한 아이가 사진을 띄웠다. 무슨 사진인지 알아볼 틈도 없이 여러 장의 사진이 연달아 떠올랐다. 사진에는 하나같이 내 모습이 찍혀 있었다. 교실에서 엎드려 자는 나, 멍하니 창밖을 보는 나, 고개를 푹 숙인 채로 버릇처럼 손등을 긁는 나. 하나같이 못나고 부끄러운 모습뿐이었다. 내가 찍으라고 허락한 사진은 단 한 장도 없었다.

마지막으로 어디로 걸어가는 내 뒷모습을 찍은 사진이 올라왔다. 엉덩이가 보기 싫을 만큼 크게 찍힌 사진 배경이 눈에 익었다.

바로 어제 그 애가 둘레길을 걷는 나를 등 뒤에서 찍은 사진이었다.

모욕감에 말을 잃은 내 등 뒤에서 기괴한 목소리가 들렸다.

"잇잔애~ 내가 트이타에 그론 말 쓴 고~ 진째 정신뻥 잇어서 그론 고 아니그등~."

그 애였다. 스마트폰을 손에 들고 내가 어제 용기를 짜내어 한 말을 우스꽝스럽게 따라 하며 조롱하고 있었다.

그 애의 친구들이 서로의 등짝을 때리며 웃음을 터뜨렸다. 그만하라고 말하고 싶은데 목소리가 나오지 않았다. 목소리 대신 눈물이 나왔다. 내가 울자 그 애와 단짝들은 얼굴에서 웃음을 싹 지우고 저들끼리 뭐라고 속삭이다 연예인 이야기로 화제를 돌렸다. 마치 아무 일도 없던 것처럼. 반 아이들이 나를 흘끔대며 수군거렸다. 내 눈물조차 아이들에게는 민폐일 뿐이었다.

나는 교실 밖으로 뛰쳐나갔다. 무작정 계단을 뛰어오르기 시작했다. 점심시간 끝을 알리는 예비종이 울렸지만 개의치 않고 한달음에 꼭대기 층까지 올라갔다. 머릿속이 폭발할 것 같았다.

더는 못 버티겠어. 그만 끝내자. 내 자살을 알리는 뉴스가 뜨면 그 애와 단짝들이 나에게 한 짓이 만천하에 알려지겠지. 신상도 낱낱이 털리겠지. 내 죽음으로 죗값을 치러라. 가해자, 살인자로 불리며 영원히 손가락질받아.

검은 페인트가 칠해진 옥상 철문은 굳게 닫혀 있었다. 문고리를 마구 돌리고 흔들었지만 문은 꿈쩍도 하지 않았다. 나는 이성을 잃은 채 문을 주먹으로 치고 발로 걷어찼다. 죽고 싶은데 내 마음대로 죽을 수도 없어? 힘이 빠진 나는 옥상 문 앞에 주저앉았다. 멎었던 눈물이 다시 쏟아졌다.

"거기 누구니?"

아래층에서 선생님의 고함이 들려왔다. 나는 기겁을 하며 벌떡 일어났다.

"누구야? 무슨 일이야?"

선생님이 다시 한번 소리 질렀다. 이어서 슬리퍼 소리가 울렸다. 머릿속이 호두알만큼 오그라들었다. 문득 옥상과 아래층 사이 중간층에 있는 창고 문이 빼꼼 열려 있는 것이 눈에 띄었다. 옥상 문처럼 평소에는 잠겨 있는 문이었다. 선생님의 슬리퍼 소리가 점점 커지고 있었다. 앞뒤 가릴 겨를 없이 나는 창고로 뛰어들어 몸을 숨겼다.

창고 안은 온갖 잡동사니가 무질서하게 쌓여 혼잡스러웠다. 먼지 쌓인 물건들을 비집고 창고 안쪽으로 들어가다 튀어나온 상자 귀퉁이에 무릎을 부딪혔다. 상자 더미 맨 꼭대기에 얹혀 있던 물건들이 와르르 떨어지며 먼지구름이 뭉게뭉게 피어올랐다. 기침과 재채기가 동시에 터져 나왔다. 들어온 걸 후회하며 다시 나가려는 찰나, 먼지구름 너머로 사람이 나타났다.

놀란 나머지 기침이 멎었다. 낡은 나무 이젤 너머 처음 보는 아이가 무릎을 끌어안고 앉아 있었다. 그 아이는 고개를 들고 나를 보더니 당황한 듯 입을 벌렸다. 얼굴 위에 길게 늘어진 머리카락 때문에 얼굴이 잘 보이지 않았다. 그 아이는 엉덩이를 털고 일어났다. 마주 서자 나보다 조금 작았다.

그 아이는 미역 줄기 같은 머리카락 너머로 나에게 수상쩍은 시선을 보내며 대뜸 물었다.

"어떻게 여기 들어왔어?"

"나는 그냥, 문이 열려 있길래……."

그 아이는 그럴 리 없다는 듯 미간을 찌푸리며 얼굴을 가린 머리칼을 귀 뒤로 쓸어 넘겼다. 머리카락을 치우고 보니 평범한 얼굴이었다. 으스스함이 한풀 누그러졌다. 봄 황사처럼 독하게 창고 안을 메웠던 먼지도 천천히 가라앉았다. 그 아이가 다시 물었다.

"몇 학년이야?"

"2학년인데……."

"너 명찰이 왜 그래? 학번이 없네."

무슨 말인지 이해가 가지 않았다. 그 아이의 명찰이야말로 이상했다. 재질도 다르고 글씨체도 달랐다. 이름 위에는 학번이 적혀 있었다. 그 점이 제일 이상했다. 우리 학교 명찰에는 학번이 없으니까 말이다. 아무튼 3으로 시작하는 걸 보니 3학년 언니인가 보다.

언니는 더 따지지 않고 다시 바닥에 앉았다. 언니 발치에 놓인 동글납작한 기계가 눈에 띄었다. 락앤락 용기처럼 우람하게 생긴 그 기계에는 까만색 유선 이어폰이 연결되어 있었다. 언니는 이어폰을 귀에 집어넣다 말고 기계를 빤히 보는 나에게 물었다.

"뭐가 그렇게 신기해? 시디피 처음 봐?"

"이게 시디피예요?"

"그럼 이게 시디피지, 워크맨이야?"

언니는 어이없다는 표정으로 날 보더니 딴소리를 했다.

"참고로 난 가요는 안 들어."

"저도 아이돌 극혐해요."

"극혐이 뭔데?"

"어, 음…… 진짜 싫어한다는 뜻이요."

"네가 지어낸 말이야?"

"아닌데요. 시디피도 언니가 지어낸 말이에요?"

언니가 기막힌 표정을 지었다. 그런 언니를 마주 보는 내 표정도 똑같았다.

"너 웃긴다. 아무튼 우리 취향이 비슷하네. 일단 들어 봐."

언니가 왼쪽 귀에서 이어폰을 뽑아내 나에게 건네주었다. 이어폰 줄이 조금 짧아서 곁에 바짝 붙어 앉아야 했다. 언니는 시디피의 재생 버튼을 눌렀다. 공기청정기처럼 시끄러운 소리가 나더니 음악이 나오기 시작했다. 허스키한 목소리의 외국 여자 가수였다. 언니가 말했다.

"앨라니스 모리셋이야."

"노래 제목이에요?"

"가수 이름이잖아. 몰라?"

언니가 실망스럽다는 듯 말했다. 나는 고개를 흔들었다. 문득 예전에 트위터에서 시디피 사진을 본 기억이 떠올랐다. '시디피'는 'CD플레이어'의 줄임말인 모양이었다. 휴대용 CD플레이어를 실제로 보는 건 처음이었다.

처음 듣는 앨라니스 모리셋의 노래는 듣기 좋았다. 쿨한 듯하면서도 따뜻한 목소리였다. 노래 한 곡이 끝나자 언니는 시디피를 끄고 나에게 물었다.

"그나저나 너는 왜 여기 왔어?"

옥상에서 떨어져 죽으려다 옥상 문이 잠겨서 실패하고 선생님에게 걸릴까 봐 숨어들어 왔다고 말할 수는 없었다. 너무 쪽팔리는 사실이니까.

"너도 교실에 있기 싫어서 그래?"

언니가 내 마음을 읽은 것처럼 말했다. 나는 당황해하며 고개를 끄덕였다.

"여기, 어둡고 지저분하지만 마음은 편하지?"

"맞아요. 저는 방금 왔는데도 이상하게 편해요."

"여기는 원래 내 전용 아지트인데."

나는 불만스러운 듯 혼잣말하는 언니의 눈치를 보며 주머니에서 스마트폰을 꺼냈다.

"뭐야 그게?"

언니가 눈을 휘둥그레 떴다.

"스마트폰인데요."

"그게 뭔데? 게임기야?"

언니는 동굴 안에 숨어 살다가 수십 년 만에 밖으로 나온 사람처럼 입을 떡 벌리며 놀라워했다. 우리는 서로의 스마트폰과 시디피를 바꿔 들고 구경했다. 언니는 내 폰을 눈이 빠지도록 들여다보다가 문득 고개를 들고 물었다.

"너, 언제 나갈 거야?"

"아…… 나갈까요?"

내가 묻자 언니는 고개를 저었다.

"아니. 너를 보니까 걱정이 들어서."

"걱정이요? 제가요?"

언니는 고개를 끄덕였다.

"여기 오래 머무를수록 나가기 싫어지거든."

"그러게요. 그럴 것 같아요."

"나는 한 달 넘게 여기 있었어. 아니, 한 달이 아닌가? 창문이 막혀서 시간 변화를 잘 모르겠다. 저기 벽시계도 한참 전에 고장 났고……. 내가 여기 처음 들어왔을 때는 겨울이었는데."

한 달이나 있었다고? 여기 이 창고 안에서? 그게 말이 돼? 게다가 겨울에 들어왔다니, 지금은 초여름인걸. 그렇다면 저 언니는 작년부터 이곳에 와 있었다는 말인가?

나는 무심코 벽에 걸린 시계로 눈을 돌렸다. 유리에 금이 간 낡은 벽시계 바늘은 일곱시 십분을 가리킨 채 멈추어 있었다. 생각해 보면 시간의 변화를 모르겠다는 말도 이상하다. 스마트폰에 시계가 있잖아? 하지만 언니는 스마트폰이라는 걸 태어나서 처음 본 사람처럼 굴고 있다.

"한 달이나 여기 있었다고요?"

"응. 여기 있으면 아무도 나를 괴롭히지 않으니까."

그 말을 들은 순간 언니를 향한 의심과 두려움이 누그러지고 그 자리에 공감이 차오르기 시작했다. 언니도 나와 같은 처지인 걸까? 학번이 적힌 이상한 명찰을 달고 스마트폰 대신 시디피로 듣도 보도 못한 외국 가수 노래를 듣고 아이돌을 싫어하는 언니는 '무리에 섞이려는 노력' 따위는 절대 하지 않을 것 같았다. 나는 언니가 좋아졌다.

언니는 나에게 앨라니스 모리셋의 다른 노래들을 들려주고 나는 언니에게 스마트폰 게임을 구경시켜 주었다. 음악과 게임보다 서로의 반응이 더 재미있어서 끊임없이 웃음이 터졌다.

언니랑 한참을 놀다가 문득 이곳에 너무 오래 있었다는 생각이 들었다. 수업에 빠진 나를 선생님들이 찾을 것 같았다. 나는 허둥지둥 엉덩이를 털고 일어났다. 언니는 나를 올려다보며 물었다.

"또 올 거야?"

"모르겠어요. 언니는 계속 여기 있을 거예요?"

언니는 고개를 끄덕였다. 창고 문 너머에서 희미하게 수업 종소리가 들려왔다. 나는 주저하다 창고 밖으로 나갔다. 옥상으로 이어지는 계단과 아래층 복도는 인적 없이 조용했다. 나를 쫓아오던 선생님도 보이지 않았다.

창고에 아주 오래 머물러 있던 것 같은데 시계를 보니 십 분 정도밖에 지나지 않았다. 언니만 창고 안에 두고 가도 괜찮을까? 고민하다 더 늦으면 선생님께 혼이 날 것 같아서, 일단 교실로 돌아가기로 마음먹었다.

옥상 밑 창고에 숨어 사는 언니. 몇 번을 곱씹어도 그 언니는 별종이다. 그만큼 특이하면 분명 3학년 선배들 사이에서 왕따로 소문이 났을 터였다. 그러나 같은 왕따 처지인 나에게는 그 언니의 평판에 대해 물어볼 만한 친구도 선배도 없다.

다음 날 점심시간이 되자마자 나는 다시 한번 창고로 찾아갔다.

"또 너야?"

언니는 변함없이 창고 구석에 앉아 있었다. 나를 보고 황당해하는 언니에게 나는 매점에서 산 홈런볼을 내밀었다.

"뭐야 이거, 뇌물이야?"

말은 그렇게 하면서도 언니는 웃었다. 우리는 홈런볼을 먹으며 음악을 들었다. 체육 용구 더미에 가로막힌 창밖에서 세찬 장맛빗소리가 들려왔다. 비 덕분에 아카시아 꽃송이가 다 떨어질 거라고 생각하니 기분이 좋아졌다.

언니는 긁어서 상처투성이인 내 손등을 보고 물었다.

"너도 그었어?"

"네? 뭐를 그어요?"

대답 대신 언니는 셔츠 소매를 걷고 팔목 안쪽을 보여 주었다. 나뭇가지처럼 앙상한 팔목에는 칼로 벤 듯한 기다란 흉터가 여러 개 나 있었다. 순간 '자해'라는 단어가 떠올랐다. 너무 놀라 심장이 뛰었지만 나는 애써 담담한 척 대답했다.

"아뇨. 저는 그냥 아토피예요."

"아토피가 뭔데?"

언니는 역시 이상한 사람이다. 스마트폰도 아토피도 모르다니…… 혹시 컨셉인가?

"아프지 않았어요?"

내가 묻자 언니는 걷었던 소매를 내리며 중얼거렸다.

"아프지. 아픔을 느끼려고 일부러 그랬으니까. 하도 오랫동안 괴롭힘을 당하니까 점점 화도 나지 않고 아프지도 슬프지도 않고 아무 느낌이 들지 않더라. 그러다 보니 점점 내가 걔들이랑 똑같이 살아 있는 인간인지도 알 수가 없어지는 거야. 겁이 났어."

"그래서 상처를 낸 거예요? 자신이 살아 있는지를 확인하고 싶어서?"

"그래. 상처에서 피가 흐르면 아프잖아. 그제야 나도 살아 있다는 걸 확인하고 조금 마음이 놓였어. 그 후로 습관이 되어서 툭하면 커터 칼로…….”

언니는 부끄러운 듯 말끝을 흐렸다. 나는 언니가 무슨 말을 하는지 이해할 수 있었다. 나도 애들에게 따돌림을 당하는 동안 점점 무감각해졌다.

“언니는 왜 왕따가 됐어요?”

“내가 못생기고, 가요나 아이돌 그룹도 안 좋아하고, 옷도 잘 못 입고, 말도 이상하게 하고…….”

언니는 앉은자리에서 자기가 왕따가 되어야 하는 수백 가지 이유를 줄줄 읊을 기세였다. 꼭 왕따가 된 이유에 대해 만 번 넘게 곱씹어 보는 내 자신 같았다.

“저는 확실한 이유를 들었어요.”

“이유가 뭐래?”

“제가 무리에 끼려는 노력을 안 한대요.”

언니는 어처구니없는 표정으로 이마를 찌푸렸다.

“저도 나름대로 끼려고 노력했는데, 안 끼워 주더라고요. 오히려 더 심하게 따돌려요.”

“나도 그랬어. 내 노력도 걔들한테는 놀림거리에 불과하더라. 그래서 괜히 더 노력해 보라는 둥, 기회를 주는 척하는 거야. 가지고 노는 거지.”

“맞아요. 내가 노력해 봤자 더 우스워질 뿐이라고 생각하면 그냥 아무 일도 하고 싶지 않아져요.”

둘레길에서 그 애와 나누었던 대화가 떠올랐다. 그 애는 나를 '아싸'라고 불렀다. 내가 왕따고, 나를 따돌린 장본인이 자기라는 현실을 부정하려는 듯이. 그런 애에게 나는 필사적으로 매달렸다. 그런 나를 보며 그 애는 얼마나 우스웠을까. 그 애는 나를 받아 주려는 척하며 내 뒷모습을 도촬하고 단톡방에 올리며 조롱했다. 그 애에게 나는 예상대로 반응해 주는 멍청한 장난감이었다.

입술을 깨물고 고개를 숙인 나에게 언니가 딱 하나 남은 홈런볼을 집어 주며 말했다.

"여기 있으면 괜찮아."

나는 홈런볼을 입에 넣으며 물었다.

"저 앞으로도 계속 여기 와도 돼요?"

"그래. 내가 제일 좋아하는 과자를 뇌물로 가져왔으니까 특별히 봐줄게."

언니와 이야기하면 어둡고 좁은 창고가 내 방처럼 편안하게 느껴졌다. 누구의 눈치도 보지 않고 마음껏 숨 쉬고 떠들어도 되는 안전한 공간. 불현듯 나는 창고에 들어오고서 한 번도 손등을 긁지 않았다는 사실을 깨달았다. 나는 홈런볼을 삼키면서 언니에게 물었다.

"그런데요. 언니는 왜 스마트폰 안 써요?"

"나야말로 궁금하다. 그 스마트폰이라는 거 대체 뭐야?"

"전화기잖아요? 애들 다 갖고 다니는데……."

"전화기? 휴대폰 말하는 거야?"

언니는 교복 주머니에서 무언가를 꺼내 보여 주었다. 할머니도 쓰지 않는 접이식 폴더폰이었다. 시디피도 그렇고, 도대체 언니는 저런 고리짝 물건들을 어디서 구한 걸까? 중고장터? 레트로 컨셉을 지키는 데 진심인가 보다.

나는 언니의 허락을 받고 폴더폰을 구경했다. 금이 간 작은 액정 화면은 까맣게 꺼져 있었다.

"고장 난 것 같은데요."

"응. 여기 들어온 뒤로 쭉 불통이야."

"언니 진짜로 여기서 한 번도 안 나갔어요? 쌤들이 언니 안 찾아요?"

"담임? 나한테 관심도 없는데, 뭘. 가끔 여기 모르는 선생님들이 들어오기는 하는데, 다들 나를 못 본 척해. 코앞에서 대놓고 소리를 질러도 무시하더라. 꼭 우리 반 애들처럼 굴어. 그 꼴 보기 싫어서 이제는 선생님들이 들어와도 그냥 가만히 있어."

진지하게 말하는 언니를 쳐다보다 문득 어떤 생각이 떠올랐다. 얼마 전에 읽은 웹소설에서 나온 내용이었다. 소설 내용을 그대로 현실에 적용하는 게 말이 안 된다고 생각하면서도 혹시나 하는 생각이 들었다. 나는 두려움과 호기심이 뒤섞인 감정에 떠밀려 언니에게 물었다.

"언니 혹시 몇 년생이에요?"

"나? 1982년생."

"지금은 몇 년인데요?"

"2000년이잖아?"

언니는 더없이 침착하게 대답했다. 참고로 내가 떠올렸던 웹소설은 주인공이 수십 년 전의 과거로 타임 슬립을 하는 내용이었다. 2000년에서 2021년으로 타임 슬립을 한 여고생……? 말이 되냐고. 혹시 이 언니, 너무 심하게 왕따를 당해서 정신이 이상해진 걸까?

그리 생각하자 깡마른 언니의 팔다리가 눈에 밟혔다. 이 언니, 밥은 제대로 먹고 다니나? 설마 창고에 틀어박힌 채 집에도 안 가는 건 아닐까? 불현듯 정신병이라는 단어가 떠올랐다. 이어서 그런 말을 떠올린 내가 혐오스러워졌다.

나는 언니와 친해지고 싶어졌다. 내 말을 진지하게 들어 주고 자기만의 아지트에 있도록 허락해 준 언니가 고맙기도 하고, 그런 언니를 정신병자라고 생각한 게 미안해서이기도 했다. 정신병자로 몰려 왕따가 된 처지면서 쉽게 다른 사람을 정신병자라고 단정 지은 자신이 부끄러웠다.

언니가 조금 이상한 사람인 건 맞지만, 그런 언니랑 마음이 통하는 나도 만만찮았다. 어쩌면 우리는 둘 다 정신병자가 맞을지도 모른다. 혼자가 아닌 둘이라면 정신병자로 살아도 괜찮을 것 같다는 생각이 들었다.

다음 날에도, 그다음 날 점심시간에도 나는 옥상 밑 창고에 갔다. 우리는 시디피로 팝송을 듣고 스마트폰으로 게임을 했다. 언니는 자기가 좋아하는 음악과 영화 이야기를 하고 나는 내가 좋아하는 애니메이션과 웹소설 이야기를 했다. 아무도 들어 주지 않아서 혼자 품어 온 이야깃거리가 끝없이 쏟아져 나왔다. 점심 먹는 시간도 아까워진 나는 급식을 먹지 않고 대신 매점에서 빵과 과자를 사 들고 창고에 갔다. 나를 무시하거나 면박 주지 않고 이야기를 들어 주는 언니가 있어서 행복했다.

오늘도 점심시간 종이 울리기 무섭게 나는 매점으로 달음질쳤다. 언니가 좋아하는 홈런볼과 내가 좋아하는 새우깡, 점심 대신 먹을 빵과 바나나우유를 사 들고 창고로 올라갔다. 그런데 오늘따라 창고 문이 잠겨 있었다. 언니가 마침내 정신을 추스르고 교실로 돌아간 모양이었다.

아쉬운 마음에 잠긴 문고리를 살짝 돌려 보다가 나는 무심코 아래층을 보고 멈칫했다. 아래층 복도에서 그 애와 단짝들이 아이스크림을 먹으며 떠들고 있었다. 나는 최대한 시선을 피하며 속으로 간절히 빌었다. 평소처럼 유령 취급하고 그냥 지나가, 제발.

"쟤 뭐야?"

내 바람은 이루어지지 않았다. 과자와 빵이 가득 든 비닐봉지를 들고 뜬금없이 창고 앞에 서 있는 내 모습은 너무나 수상쩍었을 테니까. 그 애들은 범죄 현장을 덮친 경찰처럼 눈을 부릅뜨고

소리 질렀다.

“너 거기서 뭐 해? 거기 쌤들만 들어갈 수 있잖아?”

“그게 아니라, 이 안에…….”

무리의 중심에는 어김없이 그 애가 있었다. 그 애는 아이스크림 막대를 담배처럼 삐딱하게 문 채 사색이 된 나를 쳐다보았다.

갑자기 아이들이 스마트폰으로 내 사진을 찍기 시작했다. 찰칵거리는 셔터 음이 송곳처럼 온몸을 아프게 찔러 댔다. 나는 참지 못하고 항의했다.

“찍지 마!”

그 애가 아이스크림 막대를 입에서 빼내고 천연덕스레 말했다.

“너 찍은 거 아닌데?”

“뻥치지 마. 방금 나 도촬했잖아!”

“뭐래? 정신병자가. 망상 아냐?”

또다. 둘레길에서 나누었던 대화랑 똑같다. 내 목소리는 지워지고 모든 문제는 나의 망상이 된다. 나를 다루는 그 애의 능수능란한 태도에서는 독보다 유독한 악의가 흘러넘쳤다. 나는 강제로 독가스를 들이마신 사람처럼 순식간에 무력해졌다. 대화를 포기하고 문고리를 세게 흔들었다. 도망치고 싶다는 생각뿐이었다.

꿈쩍 않던 창고 문이 갑자기 활짝 열렸다. 균형을 잃고 창고 안으로 쓰러지는 내 팔을 누군가 꽉 잡았다.

“괜찮아?”

언니였다. 나는 원망스레 소리쳤다.

"왜 문 잠갔어요?"

"아무나 들어오면 안 되잖아."

언니가 진지하게 답했다. 맞는 말이었지만 지금 나에게는 이성이 없었다. 나는 창고 바닥에 퍼질러 앉은 채 손등으로 줄줄 흐르는 눈물을 훔쳤다. 손등 가득한 상처에 눈물이 스며들어 쓰라렸다.

"씨발. 죽고 싶다."

언니는 말없이 내 앞에 쪼그려 앉더니 손을 뻗어 내 얼굴에 엉망진창으로 들러붙은 머리카락을 하나씩 떼 내 주었다. 볼에 스치는 언니의 손끝이 따스했다.

눈물은 멎었지만 힘이 쭉 빠졌다. 쓰레기장에 버려진 곰 인형처럼 아무렇게나 주저앉은 채 나는 검은색 페인트가 칠해진 옥상 철문을 떠올렸다. 옥상에서 뛰어내리는 나의 모습을 영화의 한 장면처럼 생생하게 떠올렸다.

숨이 끊어지고 피가 흐르고 구급차가 사이렌을 울리며 달려오고. 그 지경이 되어야만 비로소 사람들이 내 존재를, 내 고통을 알아봐 줄 것 같았다. 손목에 스스로 상처를 내고 피를 내야만 비로소 자신이 살아 있다는 사실을 실감할 수 있다는 언니처럼. 어째서 우리는 자꾸 스스로를 해코지하려 드는 걸까?

그건 아마 누구도 우리의 말을 들어 주지 않았기 때문일지도 모른다. 끊임없이 무시당하고 얻어맞은 끝에 번데기처럼 단단한 껍

질로 몸을 보호하고 깊은 곳으로 꽁꽁 숨어든 우리의 말과 존재는 날카로운 칼로 상처를 내고 헤집어 억지로 끄집어내는 수밖에는 없다.

"자꾸 나쁜 상상을 하게 돼요."

나는 코를 훌쩍이며 중얼거렸다.

"어떤 상상?"

"옥상에서 떨어져 죽는 상상이요. 진짜 안 좋은 습관인 건 아는데…… 멈출 수가 없어요."

나는 살면서 아무에게도 해 본 적 없는 말을 언니에게 털어놓았다. 뉴스에서 나의 죽음을 대대적으로 보도하고, 비로소 사실을 알게 된 엄마와 아빠가 가슴을 치며 후회하고, 그 애와 패거리가 나에게 한 짓과 신상이 털리고 욕을 먹고 학교와 직장에서 쫓겨나는 통쾌한 상상까지 전부 이야기했다. 언니는 묵묵히 내 이야기를 끝까지 듣더니 조용히 말했다.

"너도 그랬구나."

언니의 짧고 덤덤한 말이 가슴 깊이 스며들었다. 언니도 나와 같았다. 그래, 언니라면 알아줄 거라고 믿었어. 나는 비참한 와중에도 기뻤다. 언니가 말을 이었다.

"나도 너랑 같았어. 나 하나만 사라지면 다 해결될 거라고 믿었어."

"언니도 옥상에서 떨어지는 상상한 적 있어요?"

언니는 말없이 나를 바라보았다. 괜히 물어봤나 싶어져 굳이 대답하지 않아도 괜찮다고 말하려는 찰나, 언니가 한참 동안 참은 들숨을 토해 내듯 한꺼번에 말을 쏟아 냈다.

"상상했지. 수천, 수만 번도 넘게 상상했어. 그렇게 여러 번 상상해 왔으니 실행에 옮기는 것도 전혀 어렵지 않을 것 같았어. 그래서 야자 끝날 때까지 기다렸다가 몰래 옥상으로 갔어. 계단을 오르는 동안에는 덤덤했지. 애들한테 욕먹고 조롱당할 때처럼 아무 느낌도 들지 않았으니까.

그런데, 옥상 문을 열려고 문고리에 손을 딱 얹는 순간 갑자기 손에 힘이 빠지면서 눈물이 쏟아지는 거야. 문고리를 아주 살짝 돌리기만 하면 나갈 수 있는데. 그렇게 문 앞에서 한참 울었지. 다 울고 나서야 겨우 옥상으로 나갈 수 있었어. 옥상 난간 위로 올라가는 동안에는 다시 덤덤해지더라. 그런데 난간 위에 딱 올라서니까 또 힘이 쭉 빠지면서 몸이 전혀 말을 안 듣는 거 있지. 숨이 막혀 오고, 눈은 핑글핑글 돌고, 숙직 도는 선생님이건 경비 아저씨건 누구라도 좋으니 나를 발견하고 말려 주었으면 좋겠다는 생각이 막 드는 거야. 지금 뭐 하는 짓이냐고, 죽지 말라고, 달려와 등짝을 후려 갈기며 혼내 주기를 바랐어. 그래서 난간 위에 선 채로 기다렸어. 그런데……."

나는 마른침을 꼴깍 삼키며 겨우 물었다.

"……그런데, 요?"

경비 아저씨나 선생님이 언니를 붙잡아 끌어 내렸겠지? 그러니까 언니가 죽지 않고 살아서 지금 여기 나랑 같이 있는 거잖아. 그렇잖아?

언니는 입을 굳게 다문 채 앞만 보고 있었다. 혼이 나간 듯한 언니의 옆얼굴을 보자 참을 수 없이 불안해졌다. 나는 언니의 팔을 세게 흔들었다. 언니가 잠에서 깨어난 아이처럼 입을 열었다.

"그런데, 여기에 왔어."

"무슨…… 말이에요? 죽으려고 옥상 난간 위에 올라섰다가, 갑자기 여기 창고에 왔다고요?"

"맞아. 그랬어. 그때 나는 분명히……."

언니는 얼굴을 일그러트리며 중얼거리다 괴로운 듯 무릎 사이에 고개를 파묻었다.

"……분명히 떨어졌는데."

심장이 얼어붙었다. 나는 입술을 간신히 달싹였다.

"언니 설마……."

귀신이에요? 뒷말은 차마 할 수 없었다. 지난번에 뜬금없이 자기가 1982년생이고 지금은 2000년이라고 말하던 언니의 더없이 진지한 얼굴이 떠올랐다. 그게 컨셉이 아닌 진실이었다면?

갑자기 창문을 가린 짐더미가 누군가에게 떠밀린 것처럼 스르르 미끄러지더니 앞으로 쏟아졌다. 가려져 있던 창문에서 눈이 아프도록 밝은 햇살이 한가득 쏟아져 들어오며 어둑어둑하던 창고 안이 환해졌다. 웅크린 언니의 몸이 유리로 만든 조각상처럼 투명해지며 햇빛을 고스란히 투과시켰다.

믿기지 않아 눈을 비비고 다시 보자 언니의 몸은 원래대로 멀쩡하게 보였다. 그럼 그렇지, 내가 헛것을 본 거야. 안심하며 무심코 언니 앞쪽 바닥을 본 나는 숨을 삼켰다.

언니에게는 그림자가 없었다. 내 발치와 내가 사 온 홈런볼 상자와 바나나우유병 앞에도 드리워져 있는 그림자가 언니 앞에만 없었다.

언니는 천천히 고개를 들고 벌벌 떠는 나에게 사과했다.

"미안."

왜 사과해요? 언니가 뭘 잘못했다고요. 그런 말은 내 입 안에서만 맴돌았다.

"그동안 까맣게 잊고 있었는데…… 네가 주는 홈런볼을 먹으니까 조금씩 기억이 되돌아왔어."

불현듯 어릴 적에 부모님을 따라 할아버지 제사를 지내러 갔던 기억이 떠올랐다. 할아버지 제사상에는 특이하게도 꼭 바나나가 올랐다. 바나나는 할아버지가 생전에 제일 좋아하던 과일이라고 아빠가 말해 주었다. 그동안 내가 언니에게 사다 준 홈런볼이 할아버지 제사상의 바나나 같은 역할을 한 셈인지도 몰랐다.

머리가 어질어질했다. 언니는 일어나 나를 향해 다가왔다. 내 눈은 언니 발치에 못 박혀 있었다. 여전히 그림자는 보이지 않았다. 나는 저도 모르게 한 발짝 뒤로 물러섰다. 언니는 슬픈 얼굴로 나를 바라보았다.

"믿어 줘. 널 속일 생각은 없었어. 진짜 기억이 안 났거든. 나도 참 멍청하지. 선생님들이 나를 못 알아보는데도, 시간이 지나도 배가 고프거나 목이 마르지 않는데도……. 워낙 평소에도 그럴 때가 많았으니까."

"이건…… 너무 말이 안 되잖아요."

"나도 알아. 미안해. 미안."

연거푸 사과하는 언니의 얼굴은 야단맞는 어린아이 같았다. 내가 사과받을 이유는 없다. 언니는 그냥…… 여기 있었을 뿐이다. 갈 곳이 없어서, 아무도 언니 말을 들어 주지 않아서.

가슴이 쓰라렸다. 눈물이 쏟아질 것만 같았다.

"아니에요, 언니."

나는 간신히 대답했다. 울음을 참느라 바보 같은 목소리가 나왔다. 언니가 불쌍했다. 옥상 난간 위에 위태롭게 선 채 자신을 붙들어 줄 사람을 기다렸던 언니. 그 기다림은 얼마나 간절했을까? 끝내 아무도 와 주지 않는 현실이 얼마나 절망스러웠을까?

언니의 아픔을 생각하자, 언니가 무섭다는 생각은 씻은 듯 사라졌다. 죽은 귀신보다 살아 있는 사람들이 더 무섭고 잔인하다는 걸 깨달았기에.

"아무리 고민해도 내가 영원히 사라지는 것 말고는 고통에서 벗어날 길이 없었어. 나를 따돌린 애들은 내가 없어질 때까지 멈추지 않을 작정이었으니까. 그런 아이들은 재미 삼아 타인을 외로움 속으로 몰아넣어. 외로움이 사람을 죽일 수도 있다는 걸 모르니까."

"……정말 몰라서 그런 걸까요?"

"아니, 실은 그 애들도 알고 있을 거야. 알면서 일부러 모른 척하는 거지."

"언니 괴롭힌 애들은 어떻게 됐어요?"

내가 묻자 언니는 천천히 기억을 더듬으며 이야기했다.

"옥상에 올라가기 전날 공책에 유서를 썼어. 유서에 날 괴롭힌 애들 이름을 한 글자도 빼놓지 않고 전부 다 적어 놨어. 내가 옥상에서 떨어진 뒤에 학교가 발칵 뒤집혔던 모양이야."

"그래서요? 그것들 다 퇴학당했어요? 고소당했어요?"

언니는 피식 웃었다.

"고소는 무슨. 아무 일도 없던 것처럼 잘만 살더라. 얼마 지나지 않아 새로운 먹잇감을 찾아 철새들처럼 옮겨 갔어. 지금은 내 이름도 잊어버렸을걸."

"그런 게 어디 있어. 자기들 때문에 사람이 죽었는데 어떻게 그래?"

나는 분을 참지 못하고 소리쳤다. 언니는 열린 시디피 뚜껑을 손가락으로 눌러 닫으며 중얼거렸다.

"사람들 대부분은 자기 잘못을 잊으려고 해. 죄가 크고 깊을수록 더 빨리, 더 깨끗이 잊어버려."

"남들이 손가락질해도? 평생 가해자 꼬리표가 따라붙어도?"

언니는 고개를 가로저었다.

"남들이 아무리 뭐라 해도 스스로 반성하고 깨닫지 않으면 사람은 변하지 않아. 욕먹고 손가락질당한다고 깨달아지는 게 아니야."

"그럼 어떡해요? 걔네가 변하지 않으면 나는 어쩌라고요?"

"너만은 너를 지켜. 그 애들이 끊임없이 네 존재를 지워 버리려 들어도 너는 너를 포기하지 마. 누군가 네 말을 들어 줄 때가 올 거야. 그때까지만 기다려. 너를 놓지 말고."

"그게 언젠데? 언제까지 기다려야 하는 건데? 나 혼자 버티기 너무 힘들어. 언니도 그게 얼마나 괴로운지 잘 알면서 왜 그러는데……."

젖먹이 아기처럼 징징대는 나의 두 손을 언니가 꼭 붙잡았다. 언니는 지저분한 흙터로 뒤덮인 내 손등을 어루만지며 말했다.

"미안해. 그래도 너는 나처럼 자신을 지워 버리지 않았으면 해. 네가 여기에 와 주어서 내가 얼마나 기뻤는지 알아? 이 세상에 나를 알아줄 사람은 아무도 없다고 생각했었는데. 내 곁에 있어 주고 내 말을 들어 줘서 고마워. 네 덕분에 내가 나라는 사실을 깨달을 수 있었어. 너를 통해 내 존재를 확인할 수 있었어."

나도 마찬가지였다. 살아 있지만 유령 취급을 받았던 나를 알아주고 내 이야기를 진지하게 들어 준 사람은 세상에 언니뿐이었다. 그러나 언니가 하는 말은 꼭 작별 인사처럼 찜찜하게 들렸다. 불안해진 나는 언니의 어깨를 흔들며 다그쳤다.

"언니, 앞으로도 여기 계속 있을 거죠?"

"말했잖아. 네 덕분에 내 존재를 확인할 수 있었다고. 나는 더는 여기 남아 있으면 안 되는 존재야. 내가 그걸 선택했으니까. 이제는 그만 사라져야 해."

"이제 와서 그런 게 어딨어? 그냥 가지 마. 내가 언니 존재 사라지지 않게 계속 찾아올게. 언니 좋아하는 홈런볼도 사 올게, 응? 제발……."

"가끔 내 생각 해. 그때마다 네 곁에 와 있을게."

언니는 소맷자락으로 내 눈물을 닦아 주며 말했다. 뭐야 그게. 하나부터 열까지 말이 안 되잖아. 언니는 역시 그냥 정신병자였어. 귀신 손이 이렇게 따뜻할 리가 없잖아.

문 밖에서 달그락거리는 소리가 들렸다. 누군가가 문고리에 열쇠를 넣어 돌리고 있었다. 우리는 동시에 입을 닫고 얼어붙었다. 문이 활짝 열리고 우리 반 담임 선생님이 종이가 가득 든 상자를 껴안고 들어왔다.

"어머, 깜짝이야!"

우리를 본 선생님은 소스라치는 비명을 질렀다. 귀신을 봤으니

그럴 만도 했다. 선생님은 계속해서 나를 다그쳤다.

"너 혼자 여기서 뭐 해? 어떻게 들어왔어?"

혼자? 나는 언니를 돌아보았다. 언니가 서 있던 자리에는 무너져 내린 짐 더미뿐이었다. 햇살 속에 흩날리는 먼지가 별처럼 반짝였다.

그날 나는 밤새도록 인터넷 뉴스 기록을 검색했다. 그러나 아무리 찾아도 2000년 겨울에 우리 학교 옥상에서 투신한 학생에 관한 뉴스는 한 건도 나오지 않았다.

그때는 20년 넘게 지난 지금에 비해 인터넷 언론 매체도 발달하지 않고 SNS도 없어서 십대의 자살이 화제가 되는 일이 거의 없었던 모양이었다. 언니의 죽음과 언니를 죽음으로 몰고 간 가해자들의 존재는 어디에도 기록되지 않았다. 그래서 언니가 마음 편히 저세상으로 가지 못했는지도 몰랐다.

그러나 언니의 영혼은 여전히 누군가가 자신을 알아주기를 원하고 있었다. 당연한 일이었다. 언니의 죽음은 온전히 스스로 내린 선택이 아니었으니까. 절망과 외로움이 언니의 등을 죽음으로 떠밀었다. 세상에서 단 한 사람, 나 같은 애 한 명이라도 언니의 말을 들어 주고 언니의 존재를 인정해 주었다면 언니는 옥상에 올라가지 않았을 것이다.

다음 날에도 나는 언니가 좋아하는 홈런볼을 사 들고 창고로 갔다가 깜짝 놀랐다. 선생님들이 열린 창고 문 앞에 서 있었다. 나는 몸을 돌리고 선생님들의 대화를 엿들었다. '청소' '리모델링'이라는 말이 여러 번 들렸다. 귀를 쫑긋 세웠지만 창고에 혼자 숨어 사는 왕따 학생에 대한 이야기는 들리지 않았다.

선생님들이 떠난 뒤, 나는 창고 문 앞에 홈런볼을 내려놓고 속으로 말했다. 언니를 생각할게요. 어쩌다 가끔 생각하는 게 아니라 앞으로도 계속 생각할게요.

그 애와 패거리는 변함없이 나를 무시했고 나 역시 변함없이 옥상에서 뛰어내리는 상상을 했다. 하지만 내 마음속에서 한 가지 작은 변화가 생겨났다. 죽고 싶다는 생각이 들 때마다 나는 언니의 존재를 함께 떠올리게 되었다. 흉터투성이인 내 손을 꼭 잡아 준 언니 손의 따스함을 떠올리며 나는 처음으로 손등에 약을 발랐다. 오랜만에 일찍 퇴근한 엄마가 저녁을 먹다 내 손등을 보았다. 엄마는 난리를 치며 피부과 예약을 잡았다.

계절이 바뀌고 새 학기가 되었다. 방학 동안 선생님들은 창고 안을 깨끗이 치워 카페형 독서실로 만들었다. 누렇게 바랜 벽에는 예쁜 하늘색 페인트를 칠하고 새 책걸상과 독서대와 화분들을 가져다 놓았다. 독서실에는 매일 점심시간과 방과 후에 아이들이 찾아왔다. 대부분은 공부 잘하는 아이들이었지만 나처럼 교실에 있기 불편해하는 애들도 있었다. 나는 종종 내 옆자리에 앉는 애랑 어쩌다 말을 텄다. 그 아이는 바로 옆반이었다. 취향이 서로 비슷한 것 같았다.

점심을 재빨리 먹어 치우고 독서실에 온 나는 맨 끝자리에 앉아 병원에서 받은 연고를 손등에 살살 발랐다. 가져온 책을 펼치고 이어폰을 귀에 꽂고 스트리밍 사이트에서 찾아 놓은 앨라니스 모리셋의 노래를 틀었다.

블라인드를 내려 놓은 창문 틈새로 기다란 빛줄기가 흘러들었다. 빛이 떨어지는 바닥 한구석에 네모난 조각이 떨어져 있었다. 눈부신 빛을 뿜어내는 작은 네모 조각은 우주에서 떨어진 별똥별 같았다.

나는 허리를 숙여 그 조각을 주워 들었다. 빛 조각의 정체는 명찰이었다. 더는 쓰지 않게 된 지 오래인 낡은 명찰에는 3으로 시작하는 학번과 함께 이름 세 글자가 적혀 있었다. 옥상 아래 그 언니의 이름이었다.

작가의 말

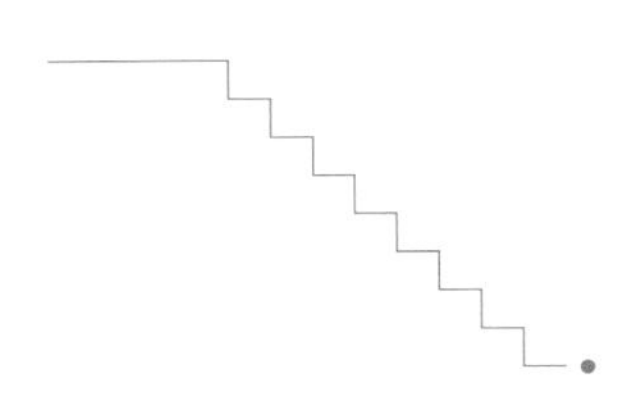

이토록 오랜 시간이 흘렀음에도 저는 청소년 시절 저를 따돌린 아이들의 얼굴과 이름을 생생히 기억합니다. 일부러 꼭꼭 곱씹어 삼킨 기억은 아닙니다. 까맣게 잊은 채 살다가 불현듯 멋대로 튀어나오곤 합니다. 타고난 외모와 말투의 개성을 정확하게 겨냥한 조롱의 말들을 떠올리면 순식간에 마음은 혼자 밥 먹는 점심시간이 하루 중 제일 싫었던 중학생으로 돌아가 움츠러들기도 합니다.

그 아이들, 이제 저와 같은 어른이 되었을 그들이 어떠한 응분의 대가를 치러야 한다는 생각을 전혀 해 보지 않은 건 아닙니다. 그렇다면 새빨간 거짓말이겠지요? 그러나 저는 이 짧은 소설에서는 가해자를 향한 처벌이나 응보를 논할 생각은 없었습니다. 그보다는 피해자의 마음에 초점을 맞추려고 했습니다.

따돌림당하는 사람을 궁지에 몰아넣는 가장 큰 감정은 외로움입니다. 가해자들은 피해자를 외로움에 빠트리기 위해 괴롭히고, 반대로 자신이 외로워질까 봐 두려운 나머지 먼저 나서서 남을 괴롭히기도 합니다. 그렇기에 피해자 또한 가해자가 될 수 있습니다. 외로움의 위력이 그토록 무섭습니다. 삶을 포기하게까지 만드는 감정 역시 외로움입니다.

그럼에도 불구하고 삶은 지속되어야 합니다. 나와 타인을 외로움 속으로 몰아넣지 않고도 살 수 있는 방향으로요. 저는 아직 삶의 이력이 한참 모자라지만, 그래서 더욱 어떻게 살아가야 하는지를 이야기하고 싶습니다.

오랫동안 꼭 다루고 싶었던 주제로 쓸 기회를 내 주신 자음과모음 최성휘 팀장님과 편집부 여러분, 함께해 주신 김설아, 김의경, 정명섭, 주원규 작가님께 감사의 말씀을 드립니다.

매우 도덕적인 캠프

주원규

주원규

『열외인종 잔혹사』로 제14회 한겨레문학상을 수상하며 작품 활동을 시작했다. 지은 책으로 『서초동 리그』 『메이드 인 강남』 『반인간선언』 『크리스마스 캐럴』 『특별관리대상자』 『나를 모르는 사람들에게』 『기억의 문』 등이 있으며, 청소년소설 『한 개 모자란 키스』 『주유천하 탐정기』 『아지트』 등이 있다. 그 외 단편 앤솔러지 『달고나, 예리』 『낯익은 괴물들』 등이 있다.

처음부터 들어오는 게 아니었어.

부끄러워.

캠프에 들어서기 직전, 그러니까 엄마 차에서 내리는 그 순간 동호가 한 혼잣말이다.

동호는 지금도 자신이 한 말을 후회하지 않는다. 충분히 타당한 이유가 있었기 때문이다. 확신은 때론 우울한 기분을 주긴 해도 어쩔 수 없이 받아들여야 할 때가 있다.

1

엄마를 믿는 게 아니었어.

동호의 혼잣말은 일종의 습관이었다. 만화 속 말풍선처럼 동호는 자신에게 그렇게 되뇌곤 했다. 후회도 해 보고, 짜증도 내고, 엄마라서 그렇다고 생각하기도 했다. 하지만 결국, 모든 건 엄마 마음대로 흘러갔다. 돌아가는 꼴을 지켜보니 그랬다. 그래서 동호는 캠프에 들어가는 입구에서부터 표정이 굳었다. 망설임이 안 생길 수가 없었다.

엄마! 안 들려? 믿는 게 아니었다고.

어머니라 불러라.

때아닌 거리 두기는. 엄마나 어머니나 그게 그거지. 애니웨이, 나 레알 진심으로 묻는 건데, 이 캠프, 꼭 해야 해?

동호 너. 그 레알, 진심, 한마디만 더 해. 집에서 차 타고 여기까지 오는 내내 그 레알 소리만 백 번은 넘게 했어.

…….

무조건 내 아들 동호는 이 캠프에 입소할 충분한 이유가 있어. 그게 진실이야.

엄마. 이건 진짜 아닌 것 같아. 내가 왜 갑자기 학교 다니다 말고 정신 무장을 해야 하냐고?

동호의 말에 이번 캠프 입소의 모든 의문이 담겨 있었다.

동호도 엄마도 이야기를 꺼내고 싶지 않은 민감한 문제가 분명했다. 비로소 서울에서 자동차로 8시간이나 타고 내려와야 도착할 수 있는 지리산 캠프 입구까지 다 온 뒤에야 이 문제의 핵심을 꺼낼 수 있었다니. 정차한 차 안에서 엄마와 동호는 서로를 마주 봤다. 동호의 눈빛은 간절했다. 또한 백 번 넘게 혼잣말처럼 중얼거린 '레알' 두 글자가 선명히 새겨져 있었다. 당연히 엄마는 그 '레알'에 맞는 답을 해 줄 의무가 있었다.

매우 합리적인 질문을 했어. 동호.

합리적인지 아닌지, 그건 모르겠는데, 어쨌든 난 머리가 매우 복잡해졌어. 그게 사실이야.

아들 말이 맞아. 상식적이라면 학폭위를 열고 널 괴롭힌 이들을 일벌백계하는 게 맞아.

일벌백계가 뭐야?

그런 게 있어. 말 끊지 말아 줄래? 요점만 간단히 하고 싶으니까.

오케이. 쏘리.

하지만 말이지. 동호야, 그 애들은 어차피 솜방망이 처벌을 받을 거야. 그리고 친구들을 괴롭히고 공부할 분위기를 망친 사실을 무슨 대단한 스펙처럼 자랑하고 다니겠지. 불량스러운 게 무슨 훈장인 것처럼 말이야. 학교에서 잘나가는 일진처럼 굴 거라고!

그런데 엄마. 그게 말이야. 사실은…….

엄마는 동호의 말을 끝까지 듣지 않았다. 처음부터 들을 마음이 없다는 게 맞을 것이다.

그러라고 해. 어차피 인생 루저들이야. 문제는 우리 공부 잘하는 동호가 그 지저분하고 불길한 학교 분위기, 백퍼 예상되는 트라우마로 행여 앞으로 펼쳐질 정글 같은 세상에서 멘털이 흔들릴까 봐 두려운 거야. 그게 이 엄마가 가장 우려한 지점이란 말이야. 결론적으로 그걸 불식시킬 수 있는 길은 단 하나, 캠프 입소라 이 말이지. 이해돼?

엄마의 의지는 단호해 보였다. 적어도 동호가 보기엔 그랬다.

엄마 마음이 이해되지 않는 건 아니었다. 동호가 입학한 고등학교에서 벌어진 사건이 있었다. 그런데 그 사건이 어떤 사건인지, 피해자가 누구인지 불분명했다. 사건이 있다고는 했는데, 그게 분명히 어떤 사건인지는 아무도 몰랐다. 학생들도 몰랐다. 그래도 어김없이 학폭위가 열렸고, 부모들은 난리가 났다. 서로가 자기 아들이 피해자라고 주장했다. 가해자가 누군지, 누가 얼마나 힘들게 했는지는 갈수록 모호해져만 갔다. 동호도 긴 시간 조사를 받았다. 확신할 수 없었다. 도대체 무슨 일이 벌어졌는지 여전히 기억은 불분명했다.

불분명한 사건의 끝에 정반대인 선명한 평가가 나왔다. 얼마나 못났으면, 얼마나 힘이 없었으면, 아니 얼마나 친구들에게 싹수없이 굴었으면 왕따를 당해. 아님, 얼마나 못됐으면 친구를 괴롭혀. 그게 동호가 다니는 학교에서 공론화된 결론이었다. 그 핵심에서 정작 학생들의 의견은 들은 체 만 체, 쏙 빠졌다는 사실은 오히려 핵심이 되지 못했다. 어른들은 '사건'이라 정의 내린 자신들의 정의에 만족해했고, 사건의 실체를 정확히 파악하지도 않은 채 무턱대고 분노하거나 공감하며 문제를 키웠다.

거기까지도 괜찮다. 어른들 하는 일이 다 그러니까. 이해해 줄 수 있다. 하지만 캠프 입구에서 동호는 걸음을 멈출 수밖에 없었다. 일단 입구에 걸려 있는 플래카드부터 마음에 안 들었다. 마음 상하기 딱 좋은 문구였다.

'이 캠프에 들어오는 못난이, 나갈 때는 멘털갑이 될지어다.'

멘트 좋잖아. 대회 출전 구호 같고. 뭐가 불만이야, 아들?

유치하잖아. 그리고 현실성이 없어.

유치한 건 받아 준다 치고. 뭐가 현실성이 없다는 거야.

고작 일주일 훈련받고 멘털갑이 된다고? 해병대도 1년 반이 기본이야. 사람이 그렇게 빨리 변한다고 생각해, 엄마?

이 캠프, 벌써 20기째야. 여기 거친 애들 전부 스카이 갔어. 명문대 간 것만이 문제가 아니야. 완전 멘털갑들이 되었다 이 말이지. 공부도 잘해. 멘털도 강해져. 이거야말로 대박 아니니?

엄마 말을 반박해 보려고 했는데, 그 순간, 그러니까 반박의 말을 쏟으려고 엄마를 바라본 순간 동호는 말을 멈추고 말았다. 엄마의 간절한 표정이 마치 메아리치듯 동호의 눈과 귀에서 떠나지 않았다.

그렇게 엄마는 지리산에 터를 닦고 벌써 20기 가까이 수료생을 배출하고 있는 조금은 생소하고 특이한 이름의 7일 캠프로 학기 중인 아들 동호를 데려와 입소시켰다. 흡사 입대 훈련장을 방불케 하는 비장함이 그곳에 모인 다른 친구들과 그들의 부모에게서 느껴졌다.

엄마가 탄 차는 떠났고, 동호 혼자 남았다. '들어가기 싫다, 들어가기 싫다' 진심이 담긴 혼잣말이 절로 나왔다. 하지만 딱히 뒤돌아서면 갈 곳도 없겠다는 막연함이 밀려들었다. 잠시 후, 동호는 '에라 모르겠다' 하는 마음으로 캠프에 들어섰다. 교관 두 사람이 입구에 버티고 서 있었다. 캠프에 입소하는 순간 동호의 시야를 사로잡은 간판이 인상적이었다.

'매우 도덕적인 캠프에 오신 걸 환영합니다.'

2

비교적 짧게 이 캠프에 대한 시설 소개와 동호의 관점에서 본 첫인상을 말해 볼까 한다.

지리산에 자리 잡은 이 캠프는 대안학교가 아니다. 인가 시설도 아니다. 교회 수련회 시설은 더더욱 아니다. 해병대 체험 캠프 같은 것도 아닌 이 '매우 도덕적인 캠프'는 그 모호한 성격에 비해 지나치게 크고 웅장했다.

산속 깊은 곳인데도 대강당이 있고, 미니축구 정도는 충분히 할 수 있는 운동장도 있었다. 큰 식당도 있고, 한 명씩 따로 잘 수 있는 비교적 쾌적한 방도 있었다. 방마다 샤워실과 화장실도 완비되어 있었고, 휴게실엔 컴퓨터, 게임기, 안마의자도 있었다. 캠프라고 해서 극기훈련을 받는 곳인 줄 알았는데, 그게 아니라고 생각하니 캠프에 대한 첫인상은 나쁘지 않았다. 배정된 방에 들어가 짐을 풀고 정해진 시간 안에 점심을 먹고 잠깐 방에 들어가 멍 때리는 동안 동호의 마음은 처음 캠프에 들어올 때보다는 한층 편안해졌다.

하지만 동호의 불길한 예감은 그때부터가 시작이었다. 아주 잠시 멍한 순간, 그때 동호는 인스타, 페북 등 SNS에 뭐라도 남겼어야 했다며 후회했다. 잠시 시간이 지나고 고막이 찢어질 듯한 큰 나팔 소리가 들렸고, '전원 대강당으로 집합!'이란 구호가 다급하고 처절하게 들려왔다. 교관으로 추측되는 남자의 힘 있는 목소리였는데, 동호가 듣기엔 왠지 모르게 투정을 부리는 어른아이 같은 느낌이었다.

대강당으로 빨리빨리 나오란 말입니다!
어서 나와요! 어서!

조급증 환자도 아니고, 마이크를 잡은 교관은 뭐가 그리 급한지 사이렌 켜 가며, 이상한 국방 음악 틀어 가며, 1초가 아쉬운 듯 빨리 나오라고 참가자들을 다그쳤다. 그렇게 점심 먹고 방으로 들어갔던 캠프 입소자들이 다시 대강당에 모였다.

모일 때까지는 2분 남짓이 걸렸다. 비교적 신속한 집합이라고 동호는 생각했다. 하지만 그건 동호만의 착각이었나 보다. 말 그대로 커다란 종교 집회소를 연상케 하는 대강당 중앙 단상에 서 있는 선글라스를 낀 한 남자는 시종 정색이었고, 목소리엔 잔뜩 화가 묻어 있었다.

그러거나 말거나. 동호는 천천히 걸어서 강당으로 들어섰다. 하지만 다른 친구들은 그 소리의 요란함에 놀랐는지 빠른 걸음으로 걷거나 심지어 뛰는 친구도 있었다.

캠프 입구를 통과할 때만 해도 몰랐는데, 참가자가 꽤 많았다. 오십여 명은 되는 것 같았다. 동호는 눈으로 슬쩍 스캔하듯 자신을 제외한 다른 친구들의 스타일을 살폈다.

엄친따다, 엄친따.

슬쩍 눈으로 훑어 내기만 해도 알 것 같았다. 명품으로 도배한 모범생들, 부모의 재산 수준이 알 만한 클래스를 초과할 거란 예감. 돌이켜 보니 동호 자신도 엄친따였다. 고등학교에 입학하자마자 선생님들은 알아서 동호를 보호했다. 엄마는 동호의 등하교를 책임지면서 보호했다. 학원에 가서도 아이들과 친할 기회가 없었다. 책을 보고 문제를 푸는 것도 중요하지만 결국, 일정 시간대에 그 학원에 앉아 있는 이상 모두가 경쟁자니까 친구를 만들 이유가 없었다. 그러니 자연스럽게 엄친따가 되는 수밖에.

동호는 문득 '픽' 웃음이 나왔다.

전국의 엄친따들 다 모아 놓고 대체 뭐 하려는 거야?

선글라스 남자는 이름 대신 자신을 관리자라고 소개했다. 그러고는 7일 만에 우리의 멘털을 갑 중의 갑으로 만들어 주겠다는 말도 안 되는 공약을 남발했다. 선거 때마다 촌스럽게 확성기 들고 떠드는 국회의원 후보만도 못한 웅변 실력이 동호를 짜증 나게 했다.

그 짜증에 기름을 부은 건 이어지는 남자의 말이었다.

여러분의 디지털 의존 중독, 그 독소를 일주일이나마 뽑아내기 위한 특단의 조치로 스마트폰을 압수하기로 합니다. 단 6일간만이지만 압수는 필수입니다.

남자의 말이 끝나기가 무섭게 교관들이 맹수처럼 달려들어 참가자들 허락도 받지 않고 몸수색을 시작했다. 동호는 몸수색을 당하기 싫어 교관이 오자마자 스마트폰을 건넸다. 그러자 교관이 물끄러미 동호를 노려봤다. 동호가 투정 섞인 말투로 따지듯 물었다.

줬잖아요, 폰. 더 뭘 바라?

패턴을 열어야지. 패턴 뭐야?

비밀번호 패턴은 왜요? 뭘 들여다보려고!

찔리는 거 있냐? 있어도 할 수 없어. 너의 연약한 멘털 측정을 위해선 지금까지 나눠 온 메시지들, 싹 다 검색해야 해.

그 무슨 말 같지도 않은!

더 따지려고 으르렁거렸는데, 동호를 가로막은 건 선글라스 남자였다. 불투명 선글라스를 착용한 탓에 눈빛을 볼 수 없었다. 그 막연함에 동호의 간담이 서늘해졌다. 선글라스 남자가 경고하듯 말했다.

딱 6일입니다. 그걸 못 참습니까?

스마트폰 반납이 문제가 아니에요. 왜 남의 사생활을 침해해요?

우리가 학생 같은 고딩의 사생활 따위 알아서 뭐에 쓰려고요.

아무 관심 없습니다. 학생이 사람을 죽였든 부모 욕을 하든 야동을 보든 전혀 관심 없어요.

아니, 그러니까요. 관심 없다며. 그런데 왜 남의 폰, 패턴 풀고 들여다보려 하냐고요?

멘털갑을 만들어 주려 그러죠. 이게 약속입니다.

무슨 약속이요?

매우 도덕적인 캠프의 약속이요. 그 목적 외에는 없으니 안심하시고 패턴, 알려 줘요. 뭐 알려 주지 않아도 검색하는 방법은 얼마든지 있지만.

완전히 개협박이네. 알았어요. 알았는데요. 하나만 더 질문할게요.

슬슬 피곤해지려고 하네요. 대충 질문하시죠. 다른 학생들 생각해서.

왜 캠프 이름이 그 뭐냐. 매우…… 도덕적인 캠프예요? 여기서 뭐 예의범절 같은 거 가르쳐요? 청학동 같은 건가요?

우리 동호 학생, 공부는 썩 한다고 들었는데 생각하는 게 어째 멍텅구리 같네요.

멍텅구리가 어느 시대 말이야. 올드해.

잘 들어요. 요약해서 설명해 줄 테니.

요약 안 해도 되니까 설명해 봐요.

남자가 동호를 못마땅하게 쳐다보더니 곧 단상으로 올라섰다. 그사이, 교관들은 입소자들의 신분증, 돈, 스마트폰, 소지품을 빼앗듯 수거했다. 단상에 올라온 남자가 캠프 이름에 담긴 의미를 설명했다. 짧고 건조하게.

어떤 골 때리는 학생이 저에게 묻네요. 왜 캠프 이름이 '매우 도덕적인 캠프'냐고요. 그래요. 이해합니다. 아무것도 모르는 백치 상태에서 그냥 시간만 때우다가 인생을 평생 그렇고 그렇게 살아가는 대다수 사람은 그 백치 상태에서 벗어날 생각을 않는 게 상식이죠. 앞으로 우리는 7일 동안 진짜 도덕적인 게 무엇인지 알아보는 시간을 갖겠습니다. 그렇게 함으로써 도덕을 익힌 인간이 어떻게 이 저급한 학교폭력과 왕따로부터 자유로워질 수 있는지를 살피는 시간을 깨닫게 되겠네요. 이만 해산!

3

나, 너 알아.

어떻게?

너 동호지?

그러니까, 어떻게 날 아느냐고. 난 너 몰라.

돌아 버리겠네. 나 경수잖아. 무경수!

'무' 씨 성도 있나. 하는 뚱한 표정으로 경수란 아이를 바라봤다. 키가 작고 왜소한 체격인데, 안경테가 명품이 확실해 보였다.

그걸로 봐서 녀석도 이 캠프, 부모 등쌀에 못 이겨 참가했을 거라고 짐작했다. 이상이 동호의 생각인데, 그 생각을 어떻게 알았는지 경수가 말을 이었다.

너도 엄마가 생떼 부려서 참가했지? 나도 그래.

그래서?

우리 엄마, 너희 엄마, 다 알고 지내는 사이잖아. 그래서 나도 널 아는 거고.

아무튼 난 기억에 없다, 네가.

이러니까 너하고 나, 왕따를 당하는 거야. 알아들어?

무례하게 결론부터 '왕따'로 마무리하는, 상대 기분은 아랑곳없이 자기 할 말만 하는 스타일이 오히려 왕따를 자초하는 건 아닐까. 동호는 문득 경수를 보며 그런 생각을 했다.

그로부터 2시간 가까이 경수는 동호의 방에서 나갈 생각을 않았다. 녀석은 처음에 봤던 약간 조용할지도 모른다는 기대를 무참히 깨고 TMI 토크를 이어 갔다. 경수가 쏟아 낸 말은 대부분 자신이 당한 학교폭력에 대한 진술이었다. 동호는 처음엔 가만히 그 말을 듣고 있었다. 하지만 정확히 1시간 10분이 지난 시점에서는 자고만 싶었다. 자그마치 지리산에 왔다. 낯선 환경이라 짜증도 나는데 스마트폰에 가방까지 빼앗겼다. 딱히 할 것도 없던 동호는 그대로 자고 싶었다. 반대로 경수는 자신의 고민을 어떻게든

이야기하고 싶어 안달이 났다.

내가 얼마나 당했는지, 너 조금만 더 들으면 열 뻗쳐서 죽을지도 몰라.

2시간 2분째야.

뭔 소리야?

네가 당했다는 그 피해 진술 말이야. 2시간 2분씩이나 쉬지 않고 들었다고. 그래도 폭로할 게 더 남았다고?

그러니까 내 말이. 2시간 2분 넘도록 떠들었는데, 그래도 아직 더 말할 피해 사실이 쌓였다는 게 정말 서글프지 않냐 이 말이야.

경수야. 무경수.

성까지 붙여 부르니 괜히 겁난다, 야. 왜? 또 무슨 얘길 들려줄까?

일단 내가 너무 피곤해서 오늘은 그만하고 일찍 돌아가 자라는 게 내 첫 번째 요구 사항이고.

요구 사항이 그런 거였어? 베프끼리 꽤 섭섭한데……. 그래. 그건 그렇고, 두 번째도 있어?

응. 이건 질문이라기보단 그냥 내 의견을 말하는 거니까 답은 하지 마.

뭔데?

너, 2시간 2분 동안 떠든 그 피해 사실이 그렇게 대단하고 서럽다면 왜 널 괴롭힌 애들을 찾아가 해결할 생각은 않고 이 캠프에 들어왔느냐는 거야.

너 정말 그걸 몰라서 묻는 거야?

답하지 말라고 경고했을 텐데.

이건 답이 아니라 상식이라 그래. 엄마 아빠가 보내서 왔잖아. 너도 그렇고 나도, 엄마가 캠프 들어가라고 해서 들어온 거 아니냐고!

결국, 경수는 엄마 이야기를 시작으로 그로부터 1시간을 더 떠들고 돌아갔다. 이래저래 동호에겐 피곤한 첫날 밤이었다.

4

'매우 도덕적인 캠프'의 48시간이 지났다. 이곳에서 동호가 어느새 이틀이란 시간을 흘려보낸 것이다. 흘려보냈다는 말이 딱 어울렸다. 매우 도덕적인 것까지는 모르겠지만 매우 따분한 캠프라는 생각이 들었으니까.

대강당에 캠프 참가자들을 아침마다 모으는 일과만 봤을 때, 동호는 흔히 예능 프로그램에 자주 등장하는 해병대 캠프 같은 분위기를 예상했다. 실제로 긴장도 했다. 4월, 초봄이지만 지리산의 아침과 밤은 꽤 추웠다. 이 분위기로 오전 조회 마치고 달리기나 산악 훈련이라도 한다면 추위와 체력 고갈이 충분히 우려되는 상황이었다. 동호의 말 많은 친구 경수 역시 지옥 훈련이 시작되었다며 금방 울음을 터트릴 듯한 표정이었다.

그런데, 막상 뚜껑을 열고 캠프 1일 차, 2일 차를 지내다 보니 '이게 뭐야' 하는 허탈한 헛웃음만 흘러나왔다.

오전 조회가 끝나고 단체로 모여 아침 식사를 했다. 고기나 햄 종류가 아무것도 없는 메뉴는 육식을 좋아하는 동호로서는 실망스러웠지만 그런대로 먹을 만했다. 식사 후 방으로 돌아가 점심 때까지 아무것도 하지 않았다. 점심시간이 끝나면 지옥 훈련이 기다리고 있을 거라고 예상하고 잔뜩 긴장했다. 하지만 점심을 먹고 나서도 캠프에서는 참가자에게 아무것도 요구하지 않았다. 또 그렇게 시간이 흘러 저녁을 먹고 잠을 잤다. 해병대 캠프 같은 취침 점호도 뭣도 아무것도 없었다. 그렇게 이틀이 지났다.

이틀째 되던 날 밤, 동호는 밤이 되자 어김없이 자신의 방으로 찾아온 경수의 방문이 더는 성가시지 않았다. 경수는 미쳐 버릴 만큼 말도 많고, 그 하는 말이라는 것도 같은 말의 반복이기에 더는 한 마디도 섞고 싶지 않다고 생각했다. 그런데 그런 경수의 방문마저 그리워지는 순간이 찾아온 것이다. 경수도 동호와 같은 마음이었을까. 녀석이 동호의 방에 들어서자마자 한 말은 비명에 가까운 아우성이었다.

이거 뭐야? 뭐, 아무것도 안 해!

내 말이. 이러려면 폰이나 빼앗지 말든가.

누가 아니래. 휴게실의 컴퓨터도 해 봤거든. 근데, 아무것도 아니야. 전원도 꺼지고, 콘센트는 그냥 가구처럼 폼으로 달아 놨어.

뭐야, 지옥 훈련이라더니 뭐 아무것도 없고.

어쩌면 말이야. 이런 게 지옥 훈련일 수도 있어.

뭐?

너무 심심하게 해서 모든 걸 무력하게 만드는 거, 그런 게 전략일 수도 있지 않겠느냐 이 말이야.

그래. 무경수. 니 말처럼 그것도 전략일 수 있겠다.

동호는 어이가 없어 웃었지만 경수는 그런 동호의 웃음을 자신의 말에 대한 적극적인 반응으로 오해한 모양이다. 경수는 둘째 날 밤에도 동호의 방에 오랫동안 남아 투머치 토크를 감행했다. 급기야 동호는 경수가 떠드는 중에 잠들고 말았다.

그렇게 사흘, 나흘이 지났다. 그사이 가족은 어떻게 됐을까, 친구들은 잘 있을까, 학교는 멀쩡할까, 혹시 폭파되지는 않았을까 등등 별의별 생각이 다 들었다. 동호는 무료함을 잊기 위해 지리산 풍경을 맛보려고 산책을 해 보기도 했다. 계곡에 앉아 가만히 떨어지는 물소리를 듣기도 했다. 선글라스 남자를 비롯한 교관들은 캠프에서 비싼 참가비만 받아 놓고도 거의 하는 일 없이 어슬렁거리며 참가자들을 감시했다. 오십여 명의 아이들 모두 엄마 말이라면 잘 듣는 순둥이여서일까. 방목 스타일로 아이들을 내버려 두어도 별다른 일탈의 조짐을 보이지 않았다. 동호가 캠프에 와 말을 섞은 이는 경수가 유일했지만 비교적 예민하게 다른 아이들의 움직임도 살폈다. 하나같이 내색은 하지 않지만, 자신은 학교폭력의 피해자라는 생각을 머리와 마음 깊이 각인시키는 듯했다.

문득 동호는 이렇게만 시간이 흐른다면 캠프에서 보낸 일주일의 효과는 한 가지에만 집중될 거란 생각이 들었다. 처음엔 매우 긴장했다가 다음엔 매우 지루했다가 마지막엔 머릿속을 텅 비우고 새로운 마음가짐을 가질 수 있는. 이런 식의 흐름으로 마무리될 거라 짐작했다. 그것도 나쁘지 않다고 생각했다.

하지만 그건 동호를 비롯한 캠프 참가자들의 집단 착각에 가까웠다. 정확히 6일째 되던 날, 선글라스 남자는 다소 독특한 이벤트를 시행했다.

5

선글라스를 낀 사십대 중반의 남자가 이 모호한 캠프의 창설자였다. 누가 정확히 꼭 짚어 동호에게 말해 준 건 아니었지만 모든 분위기가 선글라스 남자가 창설자라고 가리키는 듯했다.

선글라스 남자는 지극히 평범하다고밖에 할 말이 없었다. 짙은 선글라스에 군복 비슷한, 하지만 따지고 보면 진짜 군복은 아닌 국방색 제복을 입은 걸 제외하고는 지극히 평범한 체구에 전형적인 한국형 스타일의 사십대 남자였다.

6일째 아무것도 하지 않은, 밥 먹고 지리산의 맑은 공기를 맡고 푸르른 하늘, 구름, 산새 소리 들은 게 전부인 캠프 같지 않은 캠프의 끝, 6일째 저녁에 선글라스 남자가 참가자들을 대강당에 모았다. 커다란 대강당엔 제법 커다란 책상이 줄지어 설치되어 있었다. 참가자들이 모두 자리에 앉았을 때, 남자가 말했다. 보이지 않는 핀 마이크를 사용한 건지 손에 쥔 마이크가 없었는데도 조용한 음성이 선명하게 동호의 귀에 파고들었다.

뭐 이런 캠프가 있나 궁금했죠? 이상하기도 하고. 이러려고 우리 엄마, 그 비싼 돈을 들여 나를 캠프에 입소시킨 건지. 아님 말이죠, 여러분 중에 좀 더 학교충은 이 하릴없이 보내는 시간에 학교나 학원에 가면 선행 학습 10분이라도 더했을 텐데 하고 아쉬워했을 겁니다. 어때요? 제가 여러분 마음을 정확히 짚는 편이죠?

'그래. 그건 인정이다' 하는 독백이 절로 흘러나왔다. 남자가 먼저 선수 쳐 참가자들의 마음을 긁어 준 건 이해하겠다고. 그런데 남자의 다음 말이 이상한 뉘앙스로 다가왔다.

그런데 7일 동안 벌어지는 캠프에서 오늘 이 부분이 클라이맥

스라 생각하면 말입니다. 6일 동안 하릴없이 지리산 맑은 공기나 흠향한 게 나쁘지 않았다는 확신이 들 겁니다. 지금부터 이 밤이 샐 때까지 여러분을 커밍아웃시킬 거니까요.

커밍아웃. 그 말이 그처럼 폭력적이란 확인은 책상 위에 놓인 A4 용지 위에 펜을 들어 자필로 뭔가를 적어 넣는 순간부터 시작되었다. 적어도 그건 동호 혼자만의 생각이 아니었다. 참가자들 모두 동호와 같은 마음인 듯 표정은 한층 무거워졌고, 곳곳에서 한숨이 새어 나왔다. 남자는 커밍아웃에 대해 다음과 같이 정의했다.

여러분은 공부도 잘하고 사회에 나가면 바로 0.1퍼센트가 될 수 있는 특별한 존재입니다. 그건 부정한다 해서 부정되는 사실이 아니에요. 그런데 0.1퍼센트를 바라보는 다수의 99.9퍼센트는 여러분의 특별함을 금수저의 특권으로 매도하고 공정하지 못한 현실로 생각하는 경향이 있다 이 말이에요. 그래서 떠들어 대겠죠. 특권층이니, 금수저니, 부모 잘 만나 강남에 산다는 둥. 그러면서 여러분을 괴롭히고 여러분 부모님을 욕할 거예요. 여기서 가장 중요한 사실, 그렇게 여러분과 부모님을 괴롭히는 이들은 예외의 여지없이 루저, 쓰레기란 거예요.

선글라스 남자의 얼굴이 점점 더 붉게 달아올랐다. 목소리는 심하게 떨리기 시작했다. 과도한 감정이입이 느껴지는 순간이었다.

여러분, 쓰레기는 상대하는 게 아닙니다. 일정 부분 돈을 주고 아웃소싱해 싹 다 갖다 치우면 그만이에요. 문제는 이 빌어먹을 사회란 게 화합과 평등, 공정이란 핑계를 대고 고귀한 여러분과 그 쓰레기들을 일정 기간 한 공간에 밀어 넣고 같이 지내게 한단 말입니다. 그래서 여러분의 정신력을 짜증 나고 성가시게 만드는 거예요. 그 쓰레기들이요.

그래서 대체 무슨 커밍아웃을 한단 말인가. 동호가 슬슬 지루함을 느낄 무렵, 선글라스 남자는 어떻게 알았는지 바로 그 요점을 이야기했다.

여러분은 선행 학습이 익숙해져서 이해할 겁니다. 앞으로 여러분에게 닥쳐올 그 쓰레기들의 괴롭힘과 변수, 지금까지 쌓여 온 놈들의 예상 악행을 적는 겁니다. 오늘, 이 밤을 하얗게 불태우면서까지 쓰고 또 쓰라 이 말입니다.

선글라스 남자는 자신이 무슨 대단한 연설을 읽어 나가는 것쯤으로 자신을 포장하고 위로하는 듯 연기를 했다. 하지만 동호가 볼 땐 과대 포장된 신개념 스트레스 해소법 정도를 소개하는 샐러리맨 같았다.

그래도 신기하게 참가자들은 누가 시킨 것도 아닌데, 책상 위에 놓인 A4 용지에 뭔가를 적기 시작했다. 제법 열심이었다. 경수는 벌써 뭔가 복받치는 감정이 있었는지 '그래, 맞아. 이 쓰레기들'이라며 혼잣말을 하기 시작했다. 참가자들은 마치 경찰서 취조실에 앉아 자신이 지금까지 당한 피해 사실을 적어 내려가는 것 같았다.

동호는 아무 질문도 하지 않았다. 그렇다고 다른 참가자들처럼 선글라스 남자가 말한 대로 쉽게 커밍아웃을 하는 것도 아니었다. 선글라스 남자를 비롯한 캠프 관리자들은 꽤 집요하게 참가자들에게 커밍아웃을 독려했다. 과외 지도를 하듯 참가자들의 쌓여 있던 울분을 끄집어내려 애썼고, 감정을 쉽게 끌어올리지 못하는 분위기가 보이면 관리자 두세 명이 한 참가자 주위로 달려들어 분노와 울분, 그를 통한 해소의 감정을 끌어냈다. 동호는 분명 고가의 캠프 프로그램의 품질을 이 행사 한 번에 그대로 쏟아붓는다고 확신했다. 그게 나쁘다는 건 아니었다. 다만 자신은 이 커밍아웃에 선뜻 동참하기 어려울 뿐이었다. 수시로 관리자들이 다가와 쓰레기, 패배자들의 예상 악행을 적으라고 다그쳐도 동호는 쓰지 않았다.

옆에서 아무리 '넌 쓸 수 있어!' '넌 대단해!' '이걸 해야만 해' '왜 안 하는 거야?' 하는 식으로 독려하고 다그쳐도 동호는 쓰지 못했다.

동호가 보통 아이는 아니라고 생각했는지 결국 캠프 창설자로 예상되는 선글라스 남자가 나섰다. 커밍아웃이 시작된 지 5시간이 지난 새벽 1시의 일이었다.

이름이?

동호. 경동호.

그래. 이름은 별로 중요한 건 아니고. 서론 같은 거 싹 지우고 본론만 말하지.

길게 늘어지게 말해도 상관없어요. 조금 졸리긴 해도 워낙 심심해서 죽어 버리기 일보 직전이니까.

동호. 넌 왜 아무것도 적지 않지?

솔직하게 말해야 되는 거죠?

당연하지.

쓸 게 없어서요.

쓸 게…… 없다? 그럼, 동호 넌 쓰레기한테 당한 학폭의 경험이 없단 말이냐?

적을 만한 게 없어요.

적을 수가 없다? 혹시 너, 착각하는 거 아니야?

뭘요?

내가 선행 학습이라고 분명히 말했지.

그런데요.

그 경험이란 거 말이야. 경험할 만한 모든 쓰레기의 예측 경험을 적으라는 거야. 쓰레기, 루저가 가할 최악의 괴롭힘을 선행 학습하듯 예측해 보란 말이지.

알아요, 예측. 그런데…….

그런데 뭐지?

예측이 안 돼요. 아무것도요. 그냥 백지 상태예요.

백지…… 상태다?

안 되나요?

당연히 안 되지. 당연히 안 되고, 지금부터 왜 안 되는지 말해 줄 테니 들어 봐라. 처음부터 끝까지.

6

워낙 버티는 건 잘한다는 칭찬을 받아 온 동호로서도 1시간 30분의 침묵은 견디기 어려웠다. 다른 참가자들은 모두 소기의 목적을 끝낸 뒤 자기 방으로 돌아갔다. 모두 나름의 큰 감동도 얻었다고 믿는 표정이었다. 그렇게 모두 적당히 훈훈하고 의미 있는 일주일을 보냈다는, 보람찬 경험을 품고 캠프의 마지막 밤을 보내는 것이었다. 단 한 사람, 동호만 빼고.

숨소리만 뱉어도 메아리쳐 울릴 듯한 커다란 강당에 남아 있는 건 동호와 선글라스 남자, 둘뿐이었다. 둘만 서로를 마주 보고 있던 시간만 1시간 30분이다. 더 놀라운 건 동호를 단독적으로 마주 보고 선 1시간 30분 동안 선글라스 남자는 아무 말도 하지 않았다는 점이다. 말도 하지 않고, 동호를 보내 주지도 않고, 그렇다고 동호를 노려보는 건지 어딜 보는 건지 확실하지 않은 선글라스 너머로 눈빛을 감춘 채 그렇게 시간이 흘렀다. 새벽 3시 30분까지 이어졌다.

그 1시간 30분의 침묵을 깬 건 선글라스 남자가 먼저였다.

'픽' 소리와 함께 헛웃음을 터트린 남자가 말을 이었다.

대단하네. 몹시 흥미로운 캐릭터이기도 하고.

뭐가 대단한데요?

이런 식으로 90분을 버틴 놈이 어디 있겠어? 캠프 열고 처음으로 보는 캐릭터란 말이야.

캐릭터인지 뭔지 그딴 건 모르겠고, 왜 설명을 안 해요?

뭔 소리야?

아까 알려 준다면서요. 처음부터 끝까지.

담담하게 말하긴 했지만 동호의 속마음은 달랐다. 궁금증이 강하게 솟구쳤는데, 그 궁금증이 생긴 이유는 단 한 가지, 캠프 참가비가 아까워서였다.

'내 돈은 아니어도 가족 중 한 사람이 개비싼 돈 주고 캠프에 들어왔는데, 아무 성과도 없이 꺼진다는 게 말이 안 되지 않나?' 하는 마음 때문에라도 동호는 이 선글라스 남자의 대단한 답을 기대했다. 대단히 치밀하고 논리적이거나, 이런 식의 캠프를 몇 년째 운영하고 지속할 수 있는 타당성이 입증되어야, 그래야 동호가 보낸 시간을 보상받을 것 같았기 때문이다. 하지만 동호의 기대는 일순간 뭉개졌다. 선글라스 남자의 이어지는 말로 인해서.

스스로 생각해 보라는 거였어, 그거.

뭘 스스로 생각해요? 혹시…….

혹시 뭐라고 짐작하는데?

내가 학폭 당한 기억이나 경험이 없다는 게 잘못되었거나 다르게 입력되었다는 것을 인정하는 쪽으로 생각하라는 건가요?

당연하지. 그 생각 말고 또 뭐가 있겠어?

짜증 나네. 그건 내가 90분 전에 말했잖아요. 난 실제로 학폭을 당한 적이 없다고요!

아니지. 그건 답이 아니야.

도대체 선생님. 아니, 모르겠다, 선생님인지 관리자인지 모를 분요, 난 실제로 학폭을 당한 경험이 없다는 사실을 말하고 또 말하는데 그게 답이 아니라 말하면 뭘 어쩌란 거죠?

내가 90분 전에 말하지 않았던가? 잠정적으로 불우한 환경에 처한 이들이 기생충처럼 이 사회에서 나쁜 공기를 뿜어 대는 이상 학폭은 멈추지 않는다고.

그게 또 무슨 말이에요?

학폭은 차이에서 오는 거야. 낙오자들이 낳은 자식에게서 열등감, 피해 의식, 그런 게 쩔어서 포텐 터지는 게 학폭이라고! 거기에 한 가지 더.

동호가 또 뭘 따져 물으려고 입술을 움직이자 선글라스 남자가 동호의 말을 가로막고 빠르게 이어 붙였다.

학폭은 잠재적인 시한폭탄과 같아. 못 배우고 천성이 못된 개새끼들, 더럽고 지저분한 환경에서 먹고 자라고 산 쓰레기 새끼들은 무슨 수를 쓰든 학폭 가해자가 되거나 커서 싸패가 되든 범죄자가 되든 할 거란 말이야. 그런 새끼들이 활개 치고 다니는 이 빌어먹을 평준화 학교에서 학폭은 당연히 있는 거야. 넌 이미 피해를 당한 거고. 안 그래?

그렇게 따지면요, 아니 만약에 아저씨 말이 사실이라고 치면요.

사실이라고 치면이 아니라 사실이고, 난 아저씨가 아니라 이 캠프의 교장 선생이다. 교장!

별거 갖고 다 트집을 잡네. 자, 선생님 말이 사실이라 가정하면 나도 다른 애들한테 학폭 가해자일 수밖에 없어요. 제가 그렇게 행동한 적이 한 번도 없다 해도요.

그러니까 네 아빠 엄마가 널 캠프에 보낸 거잖냐.

그게 또 무슨 논리예요?

어차피 세상은 정글이야. 가해자 아니면 피해자. 폭력은 반복되는 거고. 이 경우 폭력을 배출하는 방법을 지적이고 세련되고 우아하게 포장하면 학폭에 대해 적당히 피해자 코스프레도 할 수 있고, 사회 비판자도 될 수 있는 등 경제적이든 사회적이든 좋은 인싸, 인사이더가 될 수 있다 이 말이지.

이런 식으로 캠프 다녀와서 정신적으로 대충 힐링도 받고요?

힐링 수준 정도면 그 돈 못 받지. 정신 승리라고 해야지.

일주일 동안 아무것도 안 하고 폰도 뺏겨 바보짓 하면서 무슨 정신 승리?

여기서 뭘 하는 게 중요한 게 아니야. 우리 동호, 생각보다 순진하구나.

동호는 선글라스 남자의 말투가 갑자기 싸구려가 되어 간다고 느꼈다. 방금 아저씨라고 했던 것을 후회하기도 했지만 이내 동호는 그게 정확하다는 확신을 굳혔다. 선글라스 남자의 자세는 갈수록 불량스러워졌다. 강당 입구 쪽을 바라보자 대기 중인 교관들도 오랜 대치에 무척 피곤해 보였다. 선글라스 남자도 그들과 비슷한 마음이었던지 빨리 끝내려는 작심으로 본론을 짧게 말했다.

이렇게 먼저 너희가 실드 치고 난리블루스를 쳐 줘야 학교에선 학폭위도 열리고, 가진 거 뭣도 없는 애들은 쫄아 붙으면서 학교생활이 편해진단 말이야. 선생들도 관심 놓지 말고 너희를 제대로 경호할 수 있도록 정신 무장시키고. 알겠어?

나 인싸니까 캠프에 다녀온 걸 학교 안팎에 알려서 보호해 달라는 게 목적이란 말이죠?

보호해 달라는 게 아니야. 그건 사정하는 거고. 너처럼 가진 애들은 고용한다고 말하는 게 더 합리적이지.

합리적이다……?

이 캠프에 참여한 비용이 얼만 줄 아는 순간 학교도, 아싸 같은 애들도 니들을 함부로 할 수 없게 된다 이 말이야.

그런데…….

동호, 네가 뭘 질문하고 싶은지 맞혀 볼까? 지금 너, 나한테 이렇게 묻고 싶지? 돈 많으면 그냥 유학 가 버리거나 엘리트인 애들끼리 붙여 놓거나 그러면 되지, 뭣 하러 이런 번거로운 방법을 쓰냐고 말이야.

좀 거칠지만 맞아요. 그래요.

역시 순진한 우리 동호. 왜 그러는지 정말 모르겠어?

모르니까 묻죠. 뜸 좀 들이지 말고 빨리 말해요.

앞으로도 너희가 돈 벌 곳은 이 땅이니까 그렇지. 그래야 서민 코스프레하며 대충 어울리는 척하며 계속 살아 낼 수 있는 거잖아. 네 엄마한테 물어봐라. 내 말이 맞나 틀리나.

할 말이 없어 멍하니 있던 동호에게 선글라스 남자가 쐐기를 박는 한마디를 첨가했다.

이젠 왜 캠프 이름을 '매우 도덕적인 캠프'로 지었는지 알겠어? 번거롭고 귀찮아도 그게 다 기생충들과 더불어 살아가는 노하우란다.

7

다음 날, 7일째 되던 날 아침. 조촐한 퇴소식을 끝으로 캠프 일정은 마무리됐다. 자신을 교장이라고 소개한 선글라스 남자의 설명에 설득당한 건지, 아님 또 다른 이유가 있어선지 모른다. 여하튼 동호는 일명 피해사실 진술서를 밤을 새워서 적고 나왔다. 밤을 꼬박 새운 동호는 피곤이 밀려와 금방이라도 바닥에 머리 박고 잠들 얼굴빛이었지만 의외로 쌩쌩한 표정이었다. 누구보다 빨리 학폭 사실을 적어 내고 푹 잠든 경수는 동호의 불면을 걱정했지만, 그 역시 캠프에서 나오자마자 엄마가 끌고 온 차에 타느라 정신없었다.

동호의 엄마 역시 동호를 기다리고 있었다. 동호가 차에 올랐을 때, 엄마가 대견하다는 표정으로 동호를 바라보며 물었다.

피해사실 진술서, 잘 쓰고 나왔어?

응.

잘했어, 아들. 이 캠프로 인해 널 괴롭히는 거추장스러운 건 모두 정리된 거야.

동호 엄마가 차에 시동을 걸고 지리산을 빠져나가려 했다. 하지만 캠프에 일시에 몰린 다른 차량으로 인해 병목현상이 생겼다. 출구라곤 차 한 대 지나갈 수 있는 비포장도로가 전부인데, 교통정리하는 사람 한 명 없는 상황에서 수십 대의 차가 한곳에 모이니 길이 막히는 게 당연했다. 입소 때와 다르게 캠프 관계자 가운데 누구 한 명 나와서 정리하는 이가 없었다.

서둘러 이 캠프를 벗어나려는 수많은 수입차 중 단 한 대도 결코 양보할 생각이 없어 보였다. 얼마 지나지 않아 곳곳에서 클랙슨 소리가 터져 나왔다.

교양 없이 차에서 내려 싸우긴 싫고, 그렇다고 양보해 주긴 싫은 고급 수입차들은 차 안에서 클랙슨 울리는 것으로 신경전을 계속했다. 동호 엄마, 경수 엄마를 비롯해 일명 '매우 도덕적인 캠프'에 참가한 자녀들의 엄마 아빠가 몰고 온 차량은 그대로 병목 현상에 걸린 채 한동안 한 치의 양보도 없이 클랙슨 경연대회를 벌였다.

그 모습을 말없이 지켜보던 동호가 조심스럽게 입을 열었다. 그리고 마침내 일주일 동안 내내 억눌려 왔던, 어쩌면 자신도 쉽게 정리되지 않았던 진짜 기분을 표현했다. 평소의 동호답게 담백하고 허탈하게.

엄마.

왜?

부끄러워.

응?

부끄럽다고.

뭔 소리야? 뭐가 부끄러워?

매우 도덕적으로 부끄럽다고.

작가의 말

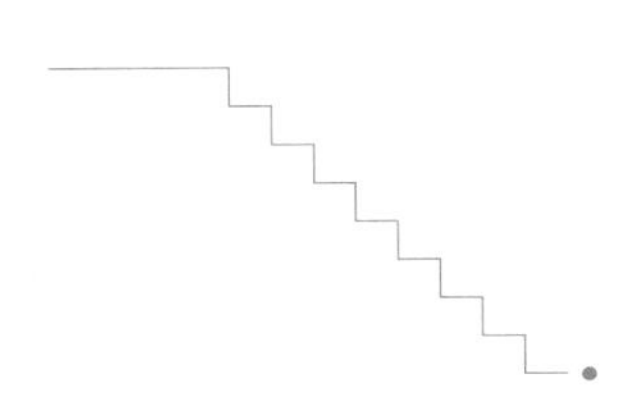

「매우 도덕적인 캠프」는 학교폭력의 이중성에 관한 작품입니다.

학교폭력은 눈에 보이는 폭력과 보이지 않는 폭력으로 작동합니다. 보이는 폭력으로 인한 고통이 누적되는 사이, 우리는 그 폭력에서 벗어나기 위해 다른 폭력을 동원하곤 합니다. 왕따 문화가 생긴 이유 또한 그런 맥락이 아닐까 싶습니다. 누군가 '나'는 왕따도 아니고 폭력의 가해자도 아니라고 주장하는 걸 보면 어떨까요? 적어도 나와 내 자녀는 오래된 사회문제가 된 학교폭력에 관해 전혀 무관하다고 믿고 싶은 착각에 빠진 건 아닌지 점검해 봐야 하지 않을까요?

보이는 폭력으로부터 우선 피하고 보기 위해 오늘, 우리 청소년 전체가 겪고 있는 더 깊은 폭력, 서로서로 감시하고 자신을 탓하고, 타인과 어른이 정해 놓은 규칙에 맞추려고 애쓰는 행동이 자존감을 더 심하게 상처 입힐 수 있다는 점을 말하고 싶었습니다. 진짜 눈에 보이는 폭력은 사실 바닥으로 곤두박질친 자존감이 무너진 아들에게서 폭력 성향으로 나타나는 법입니다. 그 악순환을 끊어 내기 위해서는 피하기만 해선 안 된다는 게 제 생각입니다. 바로 우리 사회의 무너진 자존감, 무너진 차별과 같은 아픈 상처를 피하지 말고 들여다봐야 합니다.

학교폭력이란 주제, 쉽게 접근할 수 없습니다. 지금도 고통에 빠진 친구들을 보면 더욱 그렇습니다. 그렇다고 외면만 하고 쉬쉬하는 건 더 큰 문제를 낳을지도 모릅니다. 그런 의미에서 한번 다 같이 고민해 봤으면 하는 마음에서 이 소설을 썼습니다. '매우 도덕적인 캠프'와 같은 캠프를 결코, 다녀오지 말았으면 하는 마음도 함께 보태며 말입니다.

나비

김의경

한국경제 청년신춘문예에 『청춘 파산』으로 등단하며 작품 활동을 시작했다. 『콜센터』로 제6회 수림문학상을 수상했으며, 지은 책으로 『쇼룸』과 단편 앤솔러지 『당신의 떡볶이로부터』가 있다.

김의경

한국경제 청년신춘문예에 『청춘 파산』으로 등단하며 작품 활동을 시작했다. 『콜센터』로 제6회 수림문학상을 수상했으며, 지은 책으로 『쇼룸』과 단편 앤솔러지 『당신의 떡볶이로부터』가 있다.

을지로3가역에 내리자 기분이 멍했다. 2호선 지하철로 갈아타기 위해서는 길고 긴 환승 통로를 지나야 했다. 바닥을 보며 걷는 나와 달리 혜서와 연미는 쉴 새 없이 수다를 떨었다. 그러다 어느 순간 말이 뚝 끊겼다. 나는 2시간 전에 극장에서 본 영화에 대해 생각해 보려 했지만 딱히 생각나는 장면이 없었다. 우리는 2호선 승강장에 닿기 전에 있는 화장실 입구에 걸린 커다란 전신 거울 앞에 약속이라도 한 듯 붙어 섰다. 연미는 길게 붙인 속눈썹을 만지작거렸고 혜서는 립스틱을 덧발랐다. 나는 그냥 거울 속에 비친 친구들의 얼굴을 바라봤다. 거울 속 친구들은 모르는 사람처럼 낯설었다. 혜서가 말했다.

“너도 비비 좀 발라. 너무 고딩 티 나.”

“그렇게까지 해야 해? 지금 소개팅 나가?”

위아래 입술을 맞물려 립스틱을 바르던 거울 속 혜서의 얼굴이 일그러지며 버럭 화를 냈다.

"그럼 왜 따라왔어? 암튼 유별나다니깐."

혜서는 곧 거울 속에서 사라졌고 우리는 다시 나란히 걸었다. 연미가 나와 혜서 사이에 팔짱을 끼며 파고들어 말했다.

"이왕 하기로 한 거 우리 잘하자, 응? 처음이자 마지막인데, 뭐. 뭔가 재밌는 게임 하러 간다고 생각하면 되잖아, 안 그래?"

연미와 혜서는 금세 엊그제 마약 혐의로 구속되었다는 가수 이야기로 넘어갔다.

"그게 대체 어때서?"

"남한테 피해 주는 거 아니잖아."

나는 "재밌는 게임"이라고 중얼거리며 사람들의 뒷모습을 바라봤다. 앞서 가는 미니스커트 차림의 젊은 여자는 오십대로 보이는 남자의 팔짱을 끼고 재잘댔는데 어딘가 불결해 보였다.

신촌역까지는 여섯 정거장 거리였지만 한 정거장을 가는 것처럼 짧게 느껴졌다. 신촌역에서 내리기 전에 혜서가 작게 말했다.

"화장을 짙게 하면 마음이 좀 편해져. 다른 사람이 된 것 같달까. 너도 바를래?"

혜서가 내민 립스틱 케이스에 비친 내 얼굴이 기이해 보였다. 지하철에서 내려 혜서를 앞질러 걸어가자 뒤에서 혜서가 중얼거렸다.

"할튼 결벽증이야, 결벽증."

껌을 씹으며 계단을 오르는데 연미와 혜서의 목소리가 껌 씹는 소리에 묻혀 잘 들리지 않았다. 연미가 말했다.

"변태 아닐까? 교복 입고 오라니 완전 싸이콘가 봐."

아무리 생각해도 우스웠다. 고딩처럼 보이지 않기 위해 짙은 화장을 하면서 긴 코트 속엔 교복을 입고 있다니. 나는 혹시라도 코트 밖으로 교복이 보일까 봐 자꾸만 단춧구멍을 매만졌다.

"들어가서 분위기 이상하다 싶으면 도망 나오면 되지. 자, 이게 신호다. 내가 핸드폰을 꺼내서 '어, 오빠 우리 지금 나가' 하면 다들 나오는 거야. 알았지? 밖에 남자들이 기다리는 것처럼 하면 괜찮을 거야."

연미는 자신 있는 말투였다. 하긴 연미는 이번이 처음은 아니니까 나처럼 떨리지는 않을 것이다. 연미는 누가 봐도 연예인처럼 예뻐서 대학생 남자친구도 있고 나이 든 아저씨들과도 가끔 만난다고 소문이 났다. 처음이자 마지막이라고 했지만 분명히 이번이 처음은 아닐 것이고, 집이 가난한데도 씀씀이가 큰 걸로 봐서 그 소문은 사실일 것이다.

연미가 혜서에게 물었다.

"돈 생기면 뭐 살 거야?"

"노스페이스 백팩. 벌써 다 나갔음 어쩌지?"

"난 핸드폰 바꾸려고. 아예 맥북 에어를 살까? 그동안 알바해서 돈 좀 모았거든."

혜서와 연미가 떠드는 동안 나는 사람들의 신발을 쳐다봤다. 발걸음 속도에 따라 신발이 보였다 안 보였다 하는 것에 이상하게 구토가 일었다. 연미가 입술을 삐죽이며 말했다.

"임선하, 너 용돈 얼마야? 난 한 달에 겨우 6만 원. 짜증 나. 우리 엄만 세상 돌아가는 걸 전혀 모른다니까. 초딩도 아니고 그걸로 어떻게 한 달을 버티란 말이야?"

"나도 그 정도밖에 안 돼."

사실 난 그보다 적게 받고 있었다. 아빠가 실직한 이후로 가족 모두 절약을 해야 했다. 연미는 못 들었는지 빠르게 자기 할 말만 했다.

"핸드폰 요금만 5만 원 나오는데 짜증 나. 엊그젠 맘먹고 엄마한테 말했더니 기분 나쁘게 머리를 때리는 거 있지? 정말 싫어. 말이 안 통해."

어느새 다시 연미, 혜서와 거리가 크게 벌어졌다. 애써 발을 놀리는데 왜 자꾸 벌어지는지 알 수 없었다. 나는 새끼손가락에 동여맨 반창고를 만지작거렸다. 며칠 전 아침에 바게트를 썰다가 깊숙이 베였는데 좀처럼 상처가 아물지 않았다. 언제나 내 몸에 난 상처는 아무는 데 긴 시간이 걸렸다. 언젠가 종합병원에서 건강검진을 받았을 때 의사가 내 피는 다른 사람보다 응고되는 속도가 조금 느리다고 말했다. 따라서 혹시나 교통사고 같은 것을 당해

출혈이 생기면 빨리 치료받아야 한다고 했다. 엄마는 걱정스러운 표정을 지었지만 나는 기분이 좋았다. 그 말은 똑같은 상처를 입었을 때 가장 먼저 죽는다는 뜻이었다. 가장 먼저 죽는다고? 내겐 그것이 무슨 대단한 특권인 것처럼 느껴졌다.

혜서와 연미의 뒷모습을 보며 지금이라도 빠져나갈까 생각했다. 하지만 그렇게 하면 둘밖에 없는 친구들마저 잃게 될 것이다. 노래방 도우미를 하자는 말을 먼저 꺼낸 것은 연미였다. '당연히 같이 가야지. 필요할 때만 같이 다니면 그게 친구냐?' 연미가 무슨 말을 할 때마다 꺼내는 '그게 친구냐?'라는 말은 나를 꼼짝 못하게 만들었다. 친구라면 모든 것을 함께해야 한다. 설사 살인일지라도.

우리는 며칠 전, 학교 앞에 새로 들어선 버거킹 2층 창가 자리에 모여 앉았다. 언젠가부터 우리는 마주 앉거나 둘러앉지 않고 밖을 내다볼 수 있는 일인용 의자에 나란히 앉았다. 우리는 참새처럼 거기 붙어 앉아 아래를 내려다보거나 통유리에 희미하게 비친 서로의 얼굴을 보며 대화를 나눴다. 쫙 빼입은 여자가 지나갔다. 그녀가 가볍게 둘러멘 핸드백은 500만 원을 호가하는 고가품이었다.

"저거 진짤까?"

"글쎄."

"우와, 엄청 부럽다. 집이 좀 사나 보네."

"남자친구가 부자겠지. 아니면 업소녀일지도."

"그걸 어떻게 알아?"

"척 보면 몰라?"

의미 없는 대화가 한참 흘러갔고 어느덧 바깥이 어둑어둑해졌다. 창문 너머 거리를 지나가는 사람들도 뜸해질 무렵 연미가 말했다.

"그 말 들었어? 진아랑 수연이 그거 한다던데?"

"그거?"

"노래방 도우미."

"노래방 가서 아저씨들하고 노래 부르는 거?"

"응. 시간당 꽤 많이 준대."

"얼마나?"

"3만 원이 기본이고 매너 좋은 사람들 만나면 5만 원까지 가능. 하루에 두 탕 뛰면 10만 원까지 벌 수 있대."

"정말?"

혜서는 동그랗게 뜬 눈을 천천히 굴리며 콜라 컵에 꽂힌 빨대를 휘저었다. 나는 빨대로 길게 콜라를 빨아들였다. 콜라 맛이 밍밍했다.

"걔네 미쳤나 보다. 소문나면 어쩌려구?"

혜서는 그렇게 말하면서도 이렇게 덧붙였다.

"그래도 전혀 이해가 안 가는 건 아니야. 요즘 우리 아빠 젊은 여자랑 바람나서 집에 잘 들어오지도 않거든. 엄마는 이번엔 진짜 이혼할 모양인데 난 아빠가 주는 돈은 죽어도 받기가 싫어. 그래서 요즘 용돈이 너무 달리고. 이럴 때 누가 '노래 한 곡 부르면 돈 준다' 하면 할지도 몰라."

혜서는 반에서도 잘사는 축에 속했다. 혜서가 노래방 도우미 따위를 할 이유는 없었다.

"솔직히 그런 거 못생기고 뚱뚱한 애들은 하고 싶어도 못 하잖아. 사실……."

연미는 혜서가 그렇게 말한 것이 고맙기라도 한 듯 눈을 빛내며 몸을 앞으로 숙여 말했다.

"엊그제 진아가 그러더라구. 우리도 할 생각 있으면 자기한테 말하라고. 소개비 2만 원만 주면 우리한테도 소개해 주겠다고."

나도 모르게 눈을 부릅뜨며 말했다.

"그래서 하겠다고 했어?"

"아니, 누가 그랬대? 그냥 생각해 보겠다고 했어."

연미는 잠깐 주춤하다가 금세 얼굴을 찌푸리며 눈을 가늘게 떴다.

내가 대체 왜 여기까지 따라왔는지 알 수 없었다. 학교 다니는 것도 짜증 나고 딱히 재밌는 일이 없었다. 실업자인 주제에 이래라저래라 하는 아빠도 보기 싫었고 공부 못한다고 툭하면 무시하는 엄마도 싫었다. 그놈의 집구석엔 일찍 들어가기가 싫었다. 나는 자꾸만 땀이 배는 손을 코트 위로 문질렀다. 혜서가 말했다.

"노래 한번 불러 주는 건데, 뭐. 절대 그 이상은 안 할 거야."

하지만 노래방 도우미를 하러 간 친구들이 2차를 나가거나 손님과 원조 교제로 발전하기도 한다는 것쯤은 나도 알고 있었다.

노래방 간판이 보이자 혜서가 "저기다!" 하고 외쳤다. 연미와 혜서는 보물 지도라도 발견한 것처럼 기뻐했다. 들어가기 전에 연미는 나에게 그렇게 얼굴 찡그리지 말라고 여러 번 단속했다. 나는 "노래만 부르고 1시간 안에 나오는 거다"라고 힘주어 말했다. 연미와 혜서가 속눈썹을 다시 한번 매만졌다.

우리가 들어가자 노래방 주인은 힐끗 보며 "왔어?"라고 한마디 했다. 그가 라면 가락을 입에 넣으며 6번 방이라고 말했다. 우리는 잔뜩 긴장하며 6번 방을 찾았다. 안에서 삼십대로 보이는 넥타이 맨 남자 셋이 음정도 맞지 않는 노래를 부르고 있었다. 나는 몸이 뻣뻣하게 굳은 채로 혜서에게 밀려 안으로 들어갔다. 남자들이 각자 자신의 옆자리를 내주었다. 혜서가 코트를 벗자 체크무늬 교복이 드러났다. 남자들이 깔깔대며 웃었다.

"어? 정말 교복 입고 왔네? 우린 그냥 농담한 건데."

연미와 혜서는 애매한 표정으로 따라 웃었다. 우리는 남자들의 요구대로 어색하게 자기소개를 했다. 혜서와 연미는 언제 생각해 둔 건지 지어낸 이름을 말했고 나도 얼결에 "임선주예요" 하고 말했다. 연미는 능숙하게 안경 쓴 남자 옆에 앉더니 노래에 음정을 맞추기 시작했다. 이윽고 두 사람이 일어났고 연미는 그 남자에게 몸을 기댄 채로 노래를 불렀다. 혜서의 얼굴은 경직되어 당장에라도 깨질 것 같았다. 하지만 남자가 혜서의 교복 주머니에 만 원짜리를 넣어 주자 표정이 서서히 풀렸다. 옆에 앉은 남자가 내게 캔맥주를 권했다. 어쩔 수 없이 한 모금 마셨는데 교복 치마 위로 뻗친 남자의 손에 소름이 돋았다. 뭐라고 말을 해야겠는데 목소리가 목구멍에 걸려 나오지 않았다. 밖으로 나가려 하자 손을 잡아 억지로 옆에 앉히며 부둥켜안는 통에 나도 모르게 맥주를 그의 얼굴에 들이부었다. 순식간에 분위기가 얼어붙었고 남자가 소리를 질렀다.

"이게 미쳤나!"

그와 동시에 우리는 겁을 집어먹고 가방을 잡아챈 다음 그곳에서 뛰쳐나왔다. 남자들은 "거기 서!" 하고 외쳤지만 순식간에 일어난 일에 그들 역시 당황한 모양이었다. 한 명이 조금 쫓아오다가 포기한 것 같았다. 우리는 한참을 달리다가 인적이 드문 놀이터에서 숨을 몰아쉬었다. 연미가 나를 노려보며 말했다.

"너 일부러 그랬지? 씨발년, 조금만 참았으면 돈 받았잖아!"

우리는 집 근처 지하철역을 빠져나와 터벅터벅 걸었다. 제일 먼저 눈에 들어온 곳은 피시방이었다. 몸을 씻고 싶었지만 찜질

방에 갈 돈은 없었다.

"추워. 피시방 가서 라면 먹자."

연미와 혜서는 힘없이 고개를 끄덕였다.

연미와 혜서가 게임을 하는 동안 나는 컵라면을 먹었다. 왜 이렇게 허기가 지는지 알 수 없었다. 그때 한 여자애가 눈에 들어왔다. 노란색 티셔츠에 긴 생머리. 우리 또래로 보이는 비쩍 마른 여자애가 입을 헤벌린 채 컴퓨터 화면에 뜬 나비 그림을 응시하고 있었다. 노란 날개의 나비. 금방이라도 화면 위로 물감이 흘러내릴 것처럼 선명한 노란색이었다. 그 애는 핸드폰에 연결된 이어폰을 귀에 꽂은 상태였는데 한눈에도 어딘가 이상해 보였다. 그 애가 먹던 과자를 어떤 꼬마가 낚아채 가는 것도 모른 채 모니터 속 나비에만 눈을 고정하고 있었다. 연미가 말했다.

"쟤 좀 봐. 좀 이상하지 않아?"

혜서가 그 애를 보더니 말했다.

"나 쟤 알아. 중학교 때 같은 반이었는데 지적장애야. 여기 자주 오더라. 심심한가 봐."

"멀쩡하게 생겼는데?"

사실 그 애는 얼핏 예뻐 보였다. 긴 생머리에 날씬하고 긴 다리가 부러울 정도였다.

"쟤네 엄마는 왜 특수학교에 안 보내고 일반학교에 보냈을까? 매일 애들한테 맞고 그러는데 좀 불쌍하더라. 나비 좋아하는 건 여전하네. 매일 노란색 옷, 나비 그려진 옷 입고 다니고 나비 사진을 들여다봐서 애들이 재를 나비라고 불렀거든. 이름이 뭐였더라?"

갑자기 혜서가 눈을 빛내며 말했다.

"야, 우리 재 돈 좀 뜯어먹을까?"

"뭐?"

"돈 모자란단 말이야."

미처 말리기도 전에 혜서는 그 여자애에게 다가가고 있었다.

"안녕?"

나비 사진을 들여다보던 그 애는 겁먹은 눈으로 혜서를 올려다봤다.

"나 몰라? 우리 중학교 때 같은 반이었잖아."

그 애는 혜서를 못 알아보는 눈치였다.

"너 아직도 나비 좋아해? 이거 줄까?"

혜서가 주머니에서 나비 모양 핀을 꺼내 그 애 앞으로 내밀었다. 그 애는 금세 경계를 풀고 핀을 받았다. 그 애가 나비 핀의 날개에 달린 큐빅을 만지작거리자 혜서가 말했다.

"그럼 여기 돈 오늘 네가 좀 내 줘. 우리가 돈이 다 떨어졌거든."

그 애는 잠시 머뭇거리다가 카운터로 가서 돈을 지불했다. 우리가 그곳에서 나와 건너편에 있는 편의점에 들어가자 나비도 따라 들어왔다. 혜서는 음료수 계산도 나비에게 떠넘겼다.

헤어지기 전에 혜서는 나비에게 말했다.

"우리 앞으로 자주 보자. 우리하고 놀고 싶으면 그 피시방으로 와. 우린 토요일엔 꼭 가거든."

나비가 고개를 끄덕이며 손을 흔들었다.

집에 돌아와 세면대 앞에 서서 나는 물끄러미 손가락의 상처를 바라봤다. 이제 막 아물고 있는 상처 난 손가락을 흐르는 물속에 집어넣었다. 미세한 통증이 느껴졌다. 처음엔 아프지만 시간이 흐를수록 묘한 쾌감이 느껴졌다. 나는 손을 자꾸만 물속에 집어넣어 상처가 완전히 아무는 것을 막고 있었다.

세면대에 물이 가득 차자 어렸을 때 가족과 함께 갔던 여행지에서 묵었던 숙소가 생각났다. 그곳에는 연못이 있었다. 연못의 폭은 좁았지만 깊어 보여서 나는 감히 다가갈 엄두를 내지 못했다. 한쪽에서는 사내아이 둘이 잠자리채로 나비를 잡고 있었다. 나는 선명한 노란 날개를 팔랑이는 나비를 넋을 잃고 바라봤다. 나비가 내 앞으로 날아와 꽃 위에 내려앉았을 때 사내아이의 잠자리채가 날아와 나비를 생포했다. 사내아이는 생포한 나비를 곤충채집 상자 안에 넣었다. 곤충채집 상자 안에는 노란 나비가 서너 마리 더 있었다. 나는 나비를 가까이서 볼 수 있다는 생각에 가슴이 뛰었다. 하지만 나비의 날개를 만져 보고 가까이서 지켜본 대가로 끔찍한 놀이가 시작되었다. 다른 아이가 나비를 한 마리 꺼내 손바닥에 올려놓았다. 아이의 손안에서 노란 날개가 비스킷처럼 부스럭거리는 소리를 내며 부서졌다. 아이는 손을 머리 위로 들어 올렸다가 나비를 그대로 연못에 쑤셔 박았다. 날개가 찢어져 수면 위에 떠 있는 나비. 하지만 놀랄 틈도 없이 잉어가 나비를 집어삼켜 버렸다. 두 아이는 나비가 물 위에 떠서 죽음을 기다리는 순간에 키득거렸고 나비가 잉어의 입으로 들어갔을 때는 즐거운 비명을 내질렀다.

이후로도 우리는 나비와 몇 번 더 어울렸다. 나비는 말을 시키지 않으면 지적장애라는 것을 모를 정도였고 뒤에서 말없이 잘 따라다녔으므로 같이 다니는 데 크게 불편할 것이 없었다. 우리가 먼저 나비를 찾아가는 경우는 대체로 돈이 떨어졌을 때였다. 큰돈을 빼앗을 순 없었지만 눈물을 글썽이며 부탁하거나 눈을 부릅뜨고 무섭게 말하면 나비는 주머니의 돈을 탈탈 털어 줬다.

만나는 횟수가 늘어날수록 나비는 우리를 친근하게 느끼는 것 같았다. 피시방에서 만나면 우리 옆에 자리를 잡고 앉아 게임 매뉴얼 화면을 멍하니 들여다봤다. 나비는 연미가 시키는 대로 게임 매뉴얼에 나온 글자들을 반복해 읽다가 졸거나 나비 사진을 들여다보곤 했다. 아무리 가르쳐 줘도 게임할 줄은 모르면서 우리를 쫓아다니는 것을 보니 우리가 싫진 않은 모양이었다. 덕분에 우리는 별다른 죄책감 없이 나비의 돈을 뺏을 수 있었다.

나비는 학교도 다니지 않았고 아빠는 몇 년 전에 돌아가셨다고 했다. 엄마가 집 근처 찜질방에서 일하는 동안 나비는 몸이 아픈 할머니와 함께 집에 있거나, 집에서 몰래 빠져나와 혼자 피시방에서 시간을 죽이는 모양이었다. 나비네 아빠가 살아 있었을 때는 집안 사정이 좋아서 정원 있는 집에서 살았다고 했다.

가끔은 정말로 나비가 나비 같기도 했다. 일요일에 다 같이 거리를 쏘다니다가 우연히 낮은 산에 올랐는데 나비는 펄펄 잘도 뛰어다녔다. 나비는 꽃도 좋아했다. 꽃만 보면 "와!" 하고 소리를 지르며 달려가 꽃 무더기 사이에 주저앉아 만져 보고, 꺾어서 머리에 꽂기도 했다. 나비는 단순히 꽃을 들여다보는 게 아니었다. 좋아서 어쩔 줄 몰라 하며 꽃잎에 키스를 해대고 코를 파묻었다. 분홍빛 꽃에 박고 있던 코끝에 진분홍색 꽃가루가 묻어났다. 그 모습에 우리는 어쩌면 어떤 정신 나간 나비가 나비의 몸을 빌려 부활한 것일지도 모른다며 크게 웃었다. 꽃이 잔뜩 핀 곳에선 나비가 이리저리 달리는 통에 멀리서 보면 팔랑팔랑 날아다니는 것 같았다. 나비는 스스로 움직이는 것 같지 않고 바람이 부는 대로 이리저리 휩쓸리는 것 같아 어느 쪽으로 나아갈지 예측할 수 없었다.

나비는 노랑나비, 배추흰나비 등 이름을 알 수 없는 온갖 나비들과 동족인 듯 아주 잘 어울렸다. 우리가 다가가면 날아가 버리는 나비들이 나비가 다가가면 어쩐지 촉각을 구부리며 다가오는 듯했다. 문득 배추흰나비 한 마리가 나비의 손등에 내려앉았다.

나비는 이야기를 나누듯 배추흰나비에게 무어라고 속삭였다. 그 모습이 너무나 자연스러워서 나비와 그곳에 있는 나비들이 잘 구분되지 않을 정도였다. 어쩌면 나비는 인간이 아닐지도 모른다는 생각까지 들었다.

산에서 내려와 집으로 돌아오는 길에 도로의 쓰레기통 뒤에 숨어 벌벌 떠는 나비를 보고 우리는 한바탕 웃었다.

"재 자기가 정말 나빈 줄 아나 봐. 나비도 도로에는 안 나오잖아."

나비는 차 소리를 무서워했다. 도로에 나갔을 때 차가 지나가면 아예 도로 한편으로 숨어 버렸다. 차들이 쌩쌩 달리는 도로에서도 나비가 겁을 내지 않는 유일한 순간은 꽃을 발견했을 때였다. 돌을 뚫고 도로에 피어난 꽃을 발견한 나비는 그곳에 풀썩 주저앉아 꽃을 들여다보느라 우리가 억지로 일으켜야 했다.

그러던 어느 날, 혜서의 남자친구가 우리와 동행하게 되었다. 재수생인 그는 가끔 우리에게 맛있는 것을 사 주었다. 처음에 그는 나비에게 적잖은 호감을 보였다.

"이름이 뭐야?"

그가 나비의 얼굴에 자기 얼굴을 바짝 붙이며 묻자 혜서의 얼굴이 사납게 변했다. 나비가 수줍어하며 말했다.

"지혜. 김지혜."

혜서가 말했다.

"지혜? 정말 웃기다. 너 이름이 지혜였어?"

갑자기 혜서와 연미가 웃기 시작했다. 나도 조금 웃었다. 그러고 보니 나비의 이름을 지금에야 알았다. 그는 나비 앞으로 반찬을 놓아 주고 입가에 묻은 음식물을 닦아 주었다. 하지만 몇 번 말을 시켜 보더니 장애가 있다는 것을 알고 눈살을 찌푸렸다. 그가 혜서에게 작게 물었다.

"어쩌다 이런 친구를 사귀게 된 거냐?"

혜서가 웃으며 말했다.

"어쩌다 그렇게 됐어."

재미있는 것은 나비였다. 나비는 그의 곁에 찰싹 달라붙어 말하고 바보처럼 실실 웃기도 했다. 길을 걸을 때는 그의 팔짱을 낀 채 다른 쪽 팔마저 붙들려 하는 통에 연미와 혜서를 박장대소하게 했다.

"오빠는 좋겠다. 바보가 좋다고 들러붙어서."

혜서는 키득대며 말하면서도 그의 팔에 들러붙은 나비를 거칠게 뜯어냈다. 그는 자신의 팔에 다시 매달리는 나비를 뭔가 더러운 것이라도 묻었다는 듯 떼어 냈다. 그리고 우리에게 인사한 뒤 나비에게 눈길도 주지 않고 인파 속으로 사라졌다. 나비는 당장이라도 울 것 같은 표정이었다. 뚫어지게 나비를 보던 혜서가 갑자기 손뼉을 쳤다.

"좋은 방법이 있어. 우리가 소개하고 재 시키면 어떨까?"

연미의 눈이 커졌다. 연미도 나도 그 말이 무슨 뜻인지 눈치챘다.

"뭐 어때서? 쟤도 좋아하잖아. 아까 못 봤어? 오빠한테 들러붙는 거. 남자친구 한번 사귀어 본 적도 없을 거구, 모자라도 성욕 같은 건 있을 거 아냐?"

혜서는 재미있어하는 눈치였다.

"우리가 안 해도 되고 쟤도 좋고 짱 좋은 아이디어다!"

연미는 눈가에 살짝 웃음까지 띠었다. 혜서가 말했다.

"게다가 쟤 우리보다 두 살 많거든. 미성년자도 아니야."

연미가 손뼉을 치며 말했다.

"정말? 그럼 결혼해도 되는 나이네?"

"하지만……."

나는 무슨 말을 하려고 했지만 혜서와 연미는 계속 둘이서만 이야기했다.

"그런데 누가 저런 애하고 하고 싶어 할까?"

연미가 의심스러운 눈빛으로 말하자 혜서가 웃으며 답했다.

"솔직히 쟤 예쁘잖아. 남자들은 좋아할걸."

연미가 발끝에 시선을 둔 채 말했다.

"근데 좀 겁나. 죄짓는 것 같기도 하고……."

"그럼 네가 할래?"

"싫어. 어깨만 만져도 소름 끼친단 말이야."

연미는 진저리를 쳤다.

"솔직히 쟤가 좋다고 하면 우리가 잘못한 건 없는 거야. 안 그래?"

혜서가 고개를 돌려 나비에게 물었다.

"너 아까 그 오빠 좋지?"

나비는 입을 헤벌린 채 고개를 끄덕였다.

다음 날 나비는 역시 노란색 옷을 입고 약속 장소에 나타났다. 머리에는 혜서가 준 나비 핀을 꽂고 있었다. 우리는 비어 있는 혜서네 집으로 나비를 데려갔다.

혜서는 나비의 어깨를 잡고 말했다.

"처음 방에 들어가면 너는 옷을 벗어."

"왜?"

혜서는 잠깐 생각하더니 말했다.

"나비도 번데기에서 나비가 될 때 옷을 벗잖아. 그래야 예쁜 나비가 될 수 있거든."

옆에서 연미는 우스워 죽겠다는 표정이었다.

"그리고 그냥 가만히 누워 있으면 돼. 남자가 어떻게 하든 도망 나오거나 소리 지르면 안 돼. 알았어?"

나비가 고개를 끄덕이더니 옷을 벗기 시작했다. 하나도 남김없이 훌훌. 우화하는 번데기를 본 듯 눈이 부셨다. 하얗고 투명한 피부, 예쁘고 풍만한 가슴, 늘씬한 팔다리가 눈앞에 드러났다. 모두 할 말을 잃었는데 혜서가 말했다.

"조금 아플지도 몰라. 나비가 되려면 아프거든."

연미는 채팅 앱을 깔고 나비를 살 남자를 물색했다. 채팅창에 '168cm, 50kg, 긴 생머리 청순한 스타일, 17세 숫처녀'라고 띄우자 5초도 안 되어 수많은 아이디가 접속해 왔다.

"스무 살이잖아?"

내 물음에 연미는 웃으며 말했다.

"어릴수록 돈을 많이 부를 수 있단 말이야."

'20만 원'이라고 혜서가 입력하자 연미가 비싼 거 아니냐고 물었다.

"처음이잖아."

혜서는 바닥에 앉아 과자를 먹고 있는 나비에게 물었다.

"너 아직 남자하고 자 본 적 없지?"

무슨 말인지 아는지 모르는지 나비는 고개를 끄덕였다. 나비는 실실 웃으며 혜서가 준 나비 사진에 코를 처박았다.

나는 나비를 보며 생각했다. 곧 나비의 날개가 꺾일까. 그러면 영영 날아가지 못하게 될까. 날개 따위 바스러져도 나비는 비명조차 지를 수 없다. 나비가 자신을 표현하는 방법은 오로지 연약한 날개를 팔랑이는 것뿐이다. 날개가 바스러진 나비는 차라리 죽는 게 나을지도 모른다.

채팅 앱에 글자가 떠올랐다.

—처음인 걸 어떻게 믿지?

— 믿든 안 믿든 처음이야. 20만 원 이하로는 안 돼요.

혜서가 입력하자마자 상대편에서 입력한 글자가 떠올랐다.

— ㅇㅋ

우리는 남자와 만나기로 한 모텔 건너편에 있는 식당 앞에 쭈그리고 앉았다. 인적이 드문 뒷골목에 있는 무인호텔이었다. 장사가 될까 싶게 구석에 처박혀 있었지만 그곳에는 짝을 지은 남녀가 끊임없이 드나들었다. 연미와 혜서는 긴장했는지 자리에서 앉았다 일어났다 하며 담배를 피웠다. 긴 침묵이 흘렀다. 혜서가 먼저 말을 꺼냈다. 연미와 혜서는 재미도 없는 이야기를 낄낄대며 떠들었다.

드디어 남자가 등장했다. 가슴이 마구 뛰었다. 와이셔츠에 양복을 입은 남자는 평범해 보이는 스타일이었다. 남자가 고개를 갸웃하며 주뼛거리는 우리를 한 명씩 훑어봤다. 연미가 어색하게 웃으며 나비의 등을 떠밀자 나비는 엉거주춤한 자세로 남자 앞에 섰다.

"처음이라서 부끄러운가 봐요."

혜서가 웃으며 말하자 남자가 나비의 손을 잡아끌었다. 나비가 훈련받은 대로 그 남자의 팔짱을 끼고 모텔 안으로 들어가는 것을 지켜보며 우리는 아무 말도 하지 않았다. 나는 다시 식당 앞에 쭈그리고 앉았다. 연미는 이어폰을 꽂고 시끄러운 음악을 들었지만 눈은 나비와 남자가 있는 2층에 고정한 상태였다. 혜서는 자신의 손톱을 물어뜯었다.

10분쯤 흘렀을까. 연미가 비명을 질렀다. 건물을 올려다보니 나비가 옷을 반쯤 벗은 채로 창가 난간에 들러붙어 있었다. 연미가 입힌 노란색 레이스 달린 시폰 원피스 때문인지 나비는 정말로 나비 같았다. 하지만 날개가 접힌 나비처럼 나비는 움츠린 채로 몸을 떨었다. 남자는 황당한 표정으로 창가에서 나비를 내려다보고 있었다. 남자가 화난 표정으로 우리를 노려보더니 나비의 손목을 잡아 위로 끌어 올렸다. 그러고는 한동안 잠잠했다. 나는 들어가 볼까 생각했지만 차마 발이 떨어지지 않았다. 혜서는 여전히 손톱을 물어뜯고 있었다. 나는 발을 구르며 말했다.

"잘될까? 무슨 일 생기면 어떡해?"

혜서가 스마트폰을 보며 말했다.

"시키는 대로 잘하니까 걱정할 거 없어."

"약속한 1시간이 지났는데 왜 아직 안 나오지?"

"기다려 봐."

"무슨 일이 있는 것 같아. 들어가 볼래."

"야, 야! 기다리라니깐."

모텔 쪽으로 가려는데 불투명한 까만색 유리문이 열렸다.

나는 나비에게 달려갔다. 나비는 정확한 감정을 알 수 없는 표정으로 이상하게 웃고 있었다. 눈가에 멍이 들고 입가에 피가 흘렀지만 웃는 얼굴 때문에 더욱 이상해 보일 뿐이었다. 안도감이 드는 것과 동시에 구역질이 났다. 그리고 이유 없이 나비에게 화가 났다. 혜서가 칠해 준 빨간색 립스틱은 우스꽝스럽게 번져 있었다. 나는 남자에게서 나비를 빼앗듯이 넘겨받아 연미와 혜서가 있는 곳으로 데려갔다.

혜서는 나비의 입에 코를 대고 냄새를 맡은 뒤 남자를 향해 큰 소리로 물었다.

"얘한테 술 먹였어요?"

남자는 입꼬리를 올려 웃더니 대꾸 없이 택시를 타고 사라졌다.

나비는 내 팔을 잡으며 비틀거렸다. 다리가 풀려 주저앉는 것을 보니 술을 많이 먹인 것 같았다. 혜서가 분하다는 듯이 말했다.

"개새끼, 술 먹였어."

연미가 말했다.

"지가 뭔데 술을 먹이고 지랄이야? 계약 위반이네. 돈 더 내라고 할걸."

혜서는 나비를 안아 주고 달랜 다음 나비 문양이 그려진 수첩을 주었다. 문방구에서 파는 싸구려 수첩이었지만 나비는 상 받은 어린아이처럼 좋아했다. 연미는 헤어질 때 항상 하는 말을 반복했다.

"가장 중요한 건 우리가 만나서 뭘 했는지 아무한테도 말하면 안 된다는 거야. 알았지?"

"왜애?"

"우린 친구니까. 친구는 비밀이 있어야 하는 거야."

나비가 "우린 친구니까" 하고 따라 했다.

나비에게 나비가 되기 위한 훈련을 시킨 지 석 달이 지났다. 시간이 흐를수록 나도 점점 죄책감이 줄어들었다. 창문이 작은 모텔에 방을 잡은 뒤로 난간에 매달리는 것과 같은 일은 사라졌다. 남자가 샤워하는 사이 뛰쳐나온 날은 우리 셋이 나비를 잡아 간신히 다시 방에 집어넣었다. 나비는 나중에는 아예 모텔에 들어가려 하지 않았다. 몸을 부르르 떨고 "우워워" 하며 듣기 싫은 소리를 냈다. 연미와 혜서는 고민 끝에 나비에게 술을 먹여 들여보냈다. 술이 약한 나비에겐 꽤나 효과가 있었다. 방향을 잃고 비틀거리며 남자의 손에 이끌려 들어가는 나비의 뒷모습을 보며 연미와 혜서는 키득거렸다.

장마가 시작되던 날, 우리는 신촌의 번화가에 모여 지나가는 사람들을 쳐다봤다. 혜서가 구두코로 땅바닥을 두드리며 말했다.

"결국 이혼하려는 모양이야. 우리 엄마 아빠."

무슨 말을 해야 할까 생각하는데 혜서가 활짝 웃었다.

"상관없어. 차라리 잘됐어."

무심코 하늘을 올려다봤는데 하늘이 흐렸다. 금방이라도 비가 쏟아질 것 같았다. 나는 내 발치에서 바동거리는 곤충을 발로 꾹 눌러서 뭉개 버렸다. 아까부터 나비가 신경이 쓰였다. 음식을 허겁지겁 먹는 버릇이 있는 나비는 요 며칠간 잘 먹지 않았다. 좋아하던 아이스크림도 조금 먹다가 버리더니 딸꾹질까지 했다. 빗물이 떨어지기 시작했다. 우리는 비를 피해 편의점 쪽으로 우르르 뛰었다. 마침 큰 트럭이 지나갔는데 갑자기 나비가 보이지 않았다. 발을 헛디뎌 빗물에 나동그라진 나비를 보고 우리는 미친 듯이 웃었다.

나비를 다시 만난 건 장마가 끝난 뒤였다. 장마 기간 동안 나비는 아무리 전화를 해도 몸이 아프다며 집 밖으로 나오지 않았다. 돈이 떨어졌으므로 우리는 나비네 집 근처에 있는 '나비길'에서 나비를 기다렸다. 지름길을 두고 나비는 그 길로만 다녔으므로 우리는 그 길을 나비길이라고 불렀다. 도심에선 보기 드문 꽃길로 햇빛이 잘 들고 꽃이 잔뜩 피어 있어서 나비가 좋아할 만했다. 나비는 우리를 보고 반가운지 나비길을 한달음에 달려 내려왔다. 맑고 따듯한 햇살 덕분에 그날따라 나비길은 유난히 눈부셨다. 그래서인지 노란색 미니스커트를 입은 나비가 더 예뻐 보였다. 오랜만에 보니 나도 나비가 반가웠다. 나비는 나에게 인사도 하기 전에 꽃이 잔뜩 핀 곳으로 다가갔는데 무언가에 놀라 소스라치며 뒷걸음질쳤다. 연미가 "뭐야?" 하며 다가가더니 얼굴을 찌푸리며 말했다.

"으악, 사마귀가 나비를 잡아먹고 있어!"

풀숲 사이에 핀 노란 꽃의 줄기에 매달린 사마귀가 나비를 산 채로 잡아먹고 있었다. 연미는 그것이 보기 싫었는지 사마귀가 매달려 있는 꽃 주변의 풀을 손으로 잡아 흔들었다. 나는 사마귀와 나비가 떨어진 곳을 내려다봤다. 사마귀는 어딘가로 사라졌다. 조각난 파란색 줄무늬 날개만 바닥에 처량하게 떨어져 있었다. 나는 얼굴이 창백해진 나비의 손목을 잡아끌며 어서 가자고 재촉했다.

나비가 임신했다는 것을 안 것도 그날이었다. 헛구역질을 하는 나비를 본 순간 우리는 누가 먼저랄 것도 없이 나비의 배를 쳐다봤다. 연미가 나비에게 생리가 중단된 게 언제냐고 묻자 나비는 우물쭈물 잘 모르겠다고 했다. 우리는 아무 말 없이 손에 든 소프트아이스크림을 끝까지 다 먹었다.

"재네 엄마가 알면 우리 감옥 가는 거 아니야?"

결국 연미가 걱정스러운 얼굴로 말을 꺼냈다. 나는 갈증을 느끼며 나비의 뒷모습을 멍하니 바라봤다. 아무것도 모르는 나비는 아이스크림을 한 손에 든 채로 폴짝폴짝 뛰어 앞서갔다. 비를 피해 숨어 있다가 오랜만에 햇살을 본 나비처럼 나비는 발걸음이 가벼웠다.

"이제 조금 있으면 배가 불러 올 거야. 빨리 수술해야 하지 않을까?"

"그럼 어른들이 알게 될 텐데."

"수술비는? 벌써 돈 다 써 버렸는데."

그동안 나비를 통해 번 돈은 족히 500만 원이 넘었지만 생기는 족족 써 버려서 남은 돈은 얼마 되지 않았다.

"배를 살짝 때리기만 해도 아기가 죽는다는데."

그런 말을 아무렇지 않게 하는 혜서에게 짜증이 났다. 하지만 나 역시 나비 같은 바보 엄마를 둔 아이는 불행할 거라고 생각했다.

"예전에 우리 사촌 언니 계단에서 넘어졌는데 유산됐어."

나는 이런 이야기를 아무렇지도 않게 나누는 우리가 지금 무언가에 홀려 있다고 생각했다.

어렸을 때 집에서 키운 나비가 생각났다. 언니와 함께 뒷산에서 애벌레를 주워 와 베란다에 놓인 화분에 놓아 주고 나비가 되어 가는 모습을 지켜봤다. 실로 나뭇잎을 돌돌 감싼 번데기가 아름답게 변할 순간을 기다리던 순간, 나는 침을 삼켰다. 번데기가 허물을 벗고 화려한 날개를 드러내던 순간을 잊을 수 없다. 손을 갖다 대면 크레파스처럼 묻어날 것 같던 나비. 눈부신 빛을 발하던 아름다운 날개.

우리는 계획한 대로 나비를 인적이 드문 건물로 데려갔다. 계단 위에서 나비가 바보처럼 노래를 흥얼거리는데 우리는 뒤에서 서로 눈치만 봤다. 나는 누군가 대신 해 주기를 바라며 가슴을 졸였다. 한참 동안 침이 넘어가는 소리를 들으며 나비의 뒷모습을 멍하니 쳐다봤다. 어느 순간 나비가 꺄악 소리를 지르며 계단 밑으로 굴렀다. 귓가에 울리는 연미와 혜서의 비명 소리.

날개가 부서진 나비가 굴렀다. 한 바퀴, 두 바퀴, 세 바퀴……. 나비의 날갯짓처럼 떨리는 내 손이 보였다. 나비의 날개를 찢을 때의 쾌감, 그것은 두 사내아이의 것이 아니라 내 것이었는지도 모른다. 배를 잡고 비명을 지르는 나비의 목소리가 들리는 것 같더니 그 소리는 곧 나비의 날개가 바스러지는 소리로 바뀌었다. 바스락바스락 지지직……. 나비가 하혈하는 모습을 보며 나는 온몸이 마비된 듯 아무것도 할 수 없었다.

나는 천천히 계단을 내려가 나비에게 다가갔다. 나비는 배를 잡은 채 뭐라고 열심히 중얼거렸다. 나는 처음으로 나비의 말에 귀 기울였다.

"탈리……야는 자신을 부둥켜안으며 고……향의 온기를 기억해 내려 했다. 외투로 눈을 막고 있었으나 여전……히 찬 공기가 스며들었다. 탈리야는 자……신을 부둥켜안으며 고향의 온기를 기억해 내려 했다. 외……투로 눈을 막고 있었으나 여전히 찬 공기……가 스며들었다……."

나비는 컴퓨터 게임의 매뉴얼에 나온 문장 두 개를 반복해서 외우고 있었다. 토씨 하나 틀리지 않고 정확하게, 처음부터 끝까지, 마치 그것을 외우는 것에 사활이 달렸다는 듯이 헉헉대며 중얼대고 또 중얼댔다. 나비의 모습 위로, 곤충채집 상자 속의 노란 날개가 부서지며 바람에 흩어져 빨간색 가루가 되어 날아가는 환영을 보았다. 나비의 가랑이 사이로 쏟아지는 피를 보며 눈을 꾹 감았다. 나비의 날개가 바스러지는 소리가 고막을 파고들었다. 금방이라도 고막을 찢어 버릴 것처럼 크고 날카로운 소리를 내면서.

작가의 말

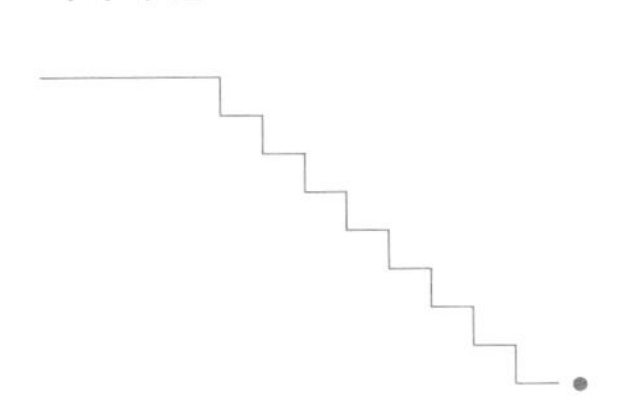

「나비」는 우연히 읽은 신문 기사에서 시작된 소설이다. 어린 학생들이 지적장애 학생을 꾀어 성매매를 시켰다는 내용이었다. 범죄 수준의 학대를 한 것이 어른이 아니라 또래의 학생들이라는 사실이 놀라워서 기억에 남았다. 그리고 어느 날 패스트푸드점에서 햄버거를 먹다가 한 무리의 여학생들을 봤다. 통유리 창을 바라보며 나란히 붙어 앉은 학생들은 지나가는 사람들을 구경하고 있었다. 도로 중간에 있는 버스 정류장에서 버스를 기다리다가 천천히 날아가는 나비를 본 것도 그즈음이었다. 산과 들에 있어야 할 나비가 어쩌다가 도로까지 나왔을까, 길을 잃었나 보다 생각했다. 그런 장면들을 머릿속에 담아 두었고 시간이 지나 한 편의 소설이 완성되었다.

폭력이 무서운 이유는 어느 순간 둔감해지고 익숙해지기 때문 아닐까? 시간이 지날수록 자신들의 범죄에 무감각해지는 아이들의 황폐한 내면을 들여다보고 싶었다. 소설을 쓰는 동안 나비가 학대당한다는 생각과 동시에 가해 학생들 또한 스스로 자신을 학대하고 있다는 생각을 지울 수 없었다. 길을 잃고 헤맨 것은 나비뿐만이 아니었을 것이다. 혜서, 연미, 선하 또한 마찬가지였으리라.

뱀희

김설아

김설아

『현대문학』에서 「무지갯빛 비누 거품」으로 등단하며 작품 활동을 시작했다. 지은 책으로 『고양이 대왕』 『공작새에게 먹이 주는 소녀』, 단편 앤솔러지 『당신의 떡볶이로부터』 『환상의 책방 골목』이 있다.

1

마리아 고등학교의 야간 자율학습 1교시가 끝났다. 아이들은 삼삼오오 화장실로 몰려갔다. 그러나 3층 화장실만은 제외였다. 재나 커플의 아지트였기 때문이었다. 재나는 재우와 인나의 줄임말로 둘은 교내에서 유명한 커플이었다. 학생회장에 재단 이사장 딸이면서도 다른 아이들을 괴롭히는 걸로 유명했다. 여자애인 이인나가 누군가를 찍으면 남자애인 박재우가 손봐 주는 식이었다.

인나는 샘이 무척 많았다. 최신 휴대폰에서부터 비싼 운동화까지 없는 게 없었지만, 누구보다 먼저 그걸 가져야 직성이 풀렸다. 때문에 누구라도 자기보다 빨리 그런 것들을 가지고 있거나, 자신이 가지고 있지 않은 것 중 척 보기에 뛰어난 물건이나 능력을 가지고 있으면 빼앗고 망가뜨리지 않고서는 견디질 못했다. 항상 자신이 최고여야만 했다.

재우의 마음은 오래전에 무감각해진 상태였다. 재우는 아주 어릴 때부터 스스로 원하는 것을 해 본 적이 없었기에 이제는 좋아하는 것도 싫어하는 것도 없었다. 전교 1등에 학생회장이라는 이유로 자신에게 적극적으로 다가온 인나도 뿌리치지 않았다. 재우는 자신의 영향력을 비뚤어진 방향으로 휘둘렀다. 인나와 함께 아이들을 괴롭힐 때면 일말의 짜릿함도 느꼈다.

아주 작은 부분이라도 뛰어난 구석이 있는 아이들이 표적이 되었고, 그들이 괴롭힐 아이는 많았다. 그들에게 걸린 아이는 만신창이가 되어서야 겨우 풀려났다. 그들이 선생님에게 걸리는 일은 없었다. 아이들은 후환이 두려워 그들을 옹호했고 선생님들은 두 사람이 그럴 리 없다며 신고가 들어와도 묵살했다. 학교는 그들 천하였다.

이번에 걸려든 것은 김범희였다. 재나 커플은 쉬는 시간이 되자마자 범희를 끌고 가서 3층 화장실 한 칸의 문을 열고 내동댕이쳤다. 범희는 비명도 지르지 않고 주저앉은 채로 고개를 숙였다. 재우는 주머니에서 라이터와 담배를 꺼내더니 피워 물었다. 재우는 연기 사이로 범희를 보다가 말했다.

"얘 반응 왜 이러냐?"

밀가루 반죽처럼 하얗게 화장을 한 인나는 검은색 케이스의 쿠

션 팩트 거울을 보고 있다가 탁 닫으며 말했다.

"일어나! 뭐 하냐?"

재우가 범희의 가슴팍을 실내화 신은 발로 팍 찼다.

"자냐?"

범희는 대답이 없었다. 재우가 말했다.

"우리가 얘 왜 괴롭혔었지?"

인나가 재우에게 눈을 흘기고는 범희의 머리채를 잡아당겼다. 그 바람에 숱 많고 긴 머리카락에 가려져 있던 얼굴이 드러나자 인나가 말했다.

"왜긴! 짜증 나게 예쁘잖아."

재우는 담배를 문 채로 가만히 범희를 보았다. 큰 눈과 높은 코, 붉은 입술. 재우는 잠시 감탄하며 그 얼굴을 보다가 인나와 시선이 마주쳤다. 인나가 쏘아붙였다.

"반했냐?"

재우는 아냐, 하며 머리를 긁었다. 김범희가 이렇게 예쁜 애였나? 그런데 왜 한 번도 눈에 띄지 않았지? 지금까지 범희를 때린 게 열 번도 넘은 거 같은데 예쁘다는 생각은 한 번도 하지 않았다. 새삼스럽게 그 얼굴을 쳐다보는데 시선이 마주치자 범희가 말했다.

"너도 마음이 텅 비었구나. 나처럼."

인나가 터무니없다는 표정으로 웃으며 말했다.

"비긴 뭘 비어? 얘 전교 1등에 학생회장인 거 몰라? 너 같은 애랑은 차원이 다르다고."

재우는 가만히 범희를 노려볼 뿐이었다. 그러다 쪼그리고 앉더니 피우고 있던 담배를 범희의 종아리에 대고 지졌다. 나일론 스타킹과 함께 살이 타는 냄새가 났다. 범희는 눈 하나 깜빡하지 않고 말했다.

"그러면 조금이라도 짜릿하지?"

범희의 말에 인나가 발끈했다.

"이게! 자꾸 뭘 안다고 멋대로 나불거려?"

재우가 말했다.

"그냥 아무 소리나 하는 걸 거야. 뭣도 모르는 게."

범희는 대꾸하지 않았다. 재우가 말했다.

"다음엔 어딜 지져 줄까? 얼굴?"

재우는 담배를 범희의 볼에다 대고 지졌다. 범희는 이를 악물고 눈을 더욱 크게 떴다. 이제 예쁘다기보다 무서워 보였다. 재우는 잠시 겁이 났지만 그것을 감추고 범희의 뺨을 세게 치며 말했다.

"성형했냐? 마스크가 왜 이렇게 또렷해?"

범희가 피식 웃었다. 눈동자가 창백한 화장실 불빛을 받아 빛났다. 회색이었다. 재우는 범희의 턱을 손에 쥐고 말했다.

"컬러 렌즈라도 꼈냐? 얘 좀 노는 애였나?"

인나는 고개를 저었다.

"아닐걸. 진짜 눈에 안 띄는 애였는데. 봐 봐."

인나는 범희의 눈을 빤히 쳐다보다가 검지와 중지로 두 눈동자를 찔렀다. 범희는 잠깐 두 눈을 감았다 떴다. 양쪽 눈에서 눈물이 흘러내렸다. 인나가 말했다.

"렌즈 아닌데? 원래 회색인가 봐."

재우가 말했다.

"너 한국사람 맞아?"

범희는 고개를 저었다. 재우가 물었다.

"그럼 어디서 왔는데?"

범희는 대답하지 않았다. 재우는 범희의 배를 걷어차며 외쳤다.

"대답해! 어딘데?"

범희는 대답하지 않았다. 재우도 인나도 의아했다. 얘는 왜 대답하지 않는 거지? 하지만 아무리 물어도 범희는 대답하지 않았고, 그때마다 재우는 범희의 배를 축구공처럼 뻥뻥 걷어찼다. 범희가 정신을 잃기 전에 뭐라고 말했다. 재우는 이제야 대답을 한 건가 싶어 반문했다.

"뭐라고?"

범희가 말했다.

"행복해?"

재우가 소리쳤다.

"뭔 개소리야!"

행복이 뭔지는 알았지만 한 번도 느껴본 적이 없는 재우는 악에 받쳐 범희의 장이 끊어질 때까지 배를 걷어찼다. 그들은 쉬는 시간이 끝나는 종이 울리자 그대로 가 버렸다.

*

재나 커플이 사라진 뒤 화장실 문 하나가 끼이익 하고 조심스럽게 열렸다. 그 안에서 나온 것은 2학년 남학생 두 명이었다. 정승엽과 윤서준. 전자담배를 피우려다 재나 커플이 들어오는 바람에 그대로 숨었던 그들은 교실로 돌아가기 위해 허둥지둥 나왔다. 키가 크고 마른 승엽이 문득 멈춰 섰다. 승엽이 화장실 칸 안을 들여다보며 말했다.

"끔찍한데? 병원 가야 하는 거 아닌가?"

범희의 모습은 한눈에도 심상치 않아 보였다. 다부진 체격의 서준이 말했다.

"내버려 둬. 괜히 우리까지 덮어쓸 일 있냐?"

재나 커플에 대한 선생님들의 편애는 전교생이 다 아는 사실이었다. 하지만 심하게 다친 사람을 차마 그냥 모른 척할 수 없어 승엽은 혼자서 학생부장 선생님에게로 갔다. 마리아 고교에는 학년별로 학교폭력 책임교사가 1명씩 있었다. 2학년 담당은 윤리 선생이자 학생부장인 강동혁이었다. 동혁에게 승엽이 말했다.

"선생님! 지금 큰일 났어요! 3층 화장실에 김범희가 쓰러져 있는데 상태가 되게 안 좋아요."

동혁은 "뭐?" 하더니 물었다.

"왜? 무슨 일 있었어?"

"그게 실은……."

승엽은 하는 수 없이 화장실에 있다가 재나 커플의 학교폭력 현장을 목격했다는 이야기를 털어놓았다. 동혁은 고개를 저었다.

"박재우가? 이인나가? 그럴 리가."

승엽은 하, 하며 투 블록 머리를 쓸어넘겼다. 혹시나 했지만 설마 동혁이 자기 말을 믿지 않을 줄은 몰랐던 것이다. 동혁이 물었다.

"근데 김범희가 누구냐? 너희 반이야?"

"네? 네에."

학생부장이라고 해서 전교생을 다 알라는 법은 없지만 동혁은 관심이 없어도 너무 없었다. 승엽이 속으로 후회하고 있는데, 동혁은 한 손을 내밀며 말했다.

"일단 담배는 압수. 어서 교실로 돌아가."

"하지만……."

"정 그러면 내가 가 볼 테니까, 넌 가서 공부나 해. 3반, 정승엽이지?"

전자담배를 뺏긴 승엽은 네에, 하며 터덜터덜 교실로 돌아갔다. 교실 뒷문으로 들어서자 서준이 자신을 한 번 쳐다보고는 고개를 젓는 것이 보였다. 승엽은 괜히 나선 건가 싶어 다시 한번 후회했다. 그리고 동혁은 밀린 잡무를 처리하느라 김범희에 대해서 까맣게 잊어 버렸다.

*

평소 교실에서 전혀 눈에 띄지 않는 범희는 다음 날 오후에야 3층 화장실 청소 당번 최유진에게 발견되었다. 유진은 범희를 흔들어 보기도 하고 코에 손을 대 보기도 했다. 그러자 범희가 눈을 번쩍 떴다. 검고 긴 머리는 뱀처럼 구불거리며 살아 움직였고 잿빛 눈동자는 불타오르는 것처럼 번뜩였다. 멍 들고 불구멍이 난 얼굴이며 장 파열로 부풀어 올랐던 배가 무서울 정도로 빠르게 회복되었다. 유진이 놀라 뒤로 주저앉자 범희는 자리에서 천천히 일어났다.

"조용히 살기는 글렀군."

유진은 우리 학년에 이런 애가 있었나 의아해하며 교복 가슴에 달린 명찰을 보고 말했다.

"기, 김범희…… 너 괜찮아?"

범희는 피식 웃더니 말했다.

"내 이름은 뱀희야. 뱀 할 때 뱀. 기억할 수 있지?"

"어? 어어? 근데 병원 안 가 봐도 돼?"

뱀희는 천천히 유진에게로 다가왔다.

"병원은 됐어. 실은 살짝 목이 마른데 말이지."

뱀희가 유진을 보았다. 뱀희의 얼굴은 굉장히 아름답고 슬퍼 보였다. 그 얼굴에 홀리는 순간 단내와 썩은 내가 섞인 숨결이 밀려오면서, 유진은 가슴에 날카로운 송곳이 박히는 기분이 들었다. 내려다보니 단추가 열린 교복 블라우스 가슴팍에 붉은 피가 동그랗게 번지고 있었다. 유진은 저도 모르게 큰 소리로 비명을 질렀다. 그 소리를 들은 학생들이 화장실로 달려왔다. 하지만 남아 있는 것은 화장실 바닥에 주저앉아 벌벌 떨고 있는 유진뿐이었다.

2

최유진 소동으로 인해 그제야 승엽의 신고를 떠올린 동혁은 범희의 사례를 학교폭력 신고대장에 기록했다. 다음으로 교육지원청에 보고하고 다음 날에야 사안 조사에 나섰다. 그는 유진과 면담한 뒤 승엽을 불렀다. 둘의 말이 달랐다. 유진은 범희를 뱀희라고 부르는 등 정신적인 충격이 큰 것 같았다. 반면 승엽은 차분하게 이야기했지만 범희 상태에 대해서는 유진의 이야기와 너무 달라 누구의 말을 믿어야 할지 알 수 없었다.

결국 동혁은 인나와 재우를 불렀다. 하지만 그들은 모르쇠로 잡아뗐다. 다만 인나는 누가 신고했는지가 궁금한 것 같았다. 인나는 집요할 정도로 알아내고 싶어 했지만 동혁은 학교폭력 책임교사로서 함구했다.

피해자인 범희는 무단결석을 했다. 이제 학교가 아닌 경찰과 보호자가 나서야 할 단계였다. 범희의 학교생활기록부를 본 동혁은 놀랐다. 범희는 다문화 가정의 아이였다. 어머니는 루마니아에서 온 이민자였다. 혼혈인데도 그렇게 눈에 띄지 않을 수 있다니. 학생기록부에 올라와 있는 집 전화번호로 전화해도 연결이 되지 않았다. 가족이 모두 휴대전화가 없었다. 범희가 집에 잘 돌아갔는지 어떤지 확인할 수 없었다. 동혁은 모든 것을 교감에게 보고했고, 보고서는 바로 교장에게로 올라갔다.

교장 오현우는 보고를 듣자마자 골치가 아파 왔다. 다문화 가정 학생과 연관된 학교폭력이라니. 그는 가능한 한 오래 자리를 지키고 싶었다. 그에게는 서른이 넘도록 아직 아버지라는 말은커녕 혼자서는 앉지도 못하는 뇌성마비 딸이 있었다. 이 자리는 딸을 돌보기에 딱 좋은 환경이었다. 사립이라서 운영만 잘하면 따로 정년도 없었다. 외벌이인 그는 되도록 많은 돈을 모아서 퇴직해야 했다. 부부가 죽고 나면 딸을 기관에 맡기기 위해서라도 돈이 필요했다.

현우는 일단 동혁에게 범희의 집부터 가 보라고 했다. 피해자의 현 상태를 알고 이야기도 들어야 합의점도 찾을 수 있고 사안조사가 제대로 마무리될 수 있었다. 신고한 학생의 말이 사실이라면 사태가 심각해 보였지만, 서로 원만하게 합의된다면 다음 절차는 순조롭게 진행될 터였다. 늘 그렇게 해 왔듯 학교폭력 전담기구를 소집하고 심의에서 협의를 통해 학교장 자체 해결로 마무리되면, 교육지원청 소속인 학교폭력대책심의위원회까지 사안이 올라가지 않아도 될 터였다. 현우가 원하는 것도 그것이었다.

동혁 혼자 찾아간 범희네 집은 폐가처럼 보였다. 도시 외곽 낡은 집 마당에 드림캐처며 아라베스크 천들이며 집시풍의 온갖 잡동사니가 가득했고, 까마귀들이 날아다녔다. 동혁은 조심스레 집 현관문에 달린 메두사 모양 노커를 두드렸다. 누군가 문을 빠끔 열었다. 어둠 속에서 크고 검은 눈만 보여 소름이 끼쳤다. 동혁이 말했다.

"범희 학생 집인가요?"

눈은 대답 대신 이렇게 말했다.

"당신인가?"

"네?"

"우리 딸 건드린 놈."

동혁은 '아!' 하더니 고개를 숙이며 말했다.

"안녕하세요, 아버님. 김범희 학생은 집에 있나요?"

눈은 똑바로 바라보기만 할 뿐이었다. 그래서 있다는 건지, 없다는 건지. 동혁은 속이 타서 당장에라도 안으로 들어가 확인하고 싶었지만 침착하려고 애썼다. 그는 범희가 집에 있는지 재차 물었지만 눈은 대답할 마음이 없어 보였다.

"학교에서 큰일이 있었습니다. 지금 조사 중인데 범희 말을 들어 봐야 사실 확인도 가능하고 절차가 진행될 거라, 꼭 알려 주셔야 됩니다."

딸에게 큰일이 있었다는데도 눈은 놀라는 기색 하나 없이 희미하게 웃더니 말했다.

"하늘이 무서운 줄 알아야 할 거야. 천벌을 받을 거거든. 대가를 다 치를 때까지 끝나지 않을 거야."

동혁이 '네?' 하고 반문하는데 문이 쾅 하고 닫혔다. 수많은 학부모와 보호자를 봐 왔지만 별사람이 다 있다 싶었다. 그는 닫힌 문을 한동안 노려보다 결국 돌아설 수밖에 없었다.

*

한편 범희가 재우를 찾아온 것은 며칠 뒤 한밤중이었다. 여느 때와 다름없이 하교 후 공부를 하다 침대에 누워 잠이 들었던 재우는 누군가 창문을 두드리는 소리에 반쯤 깼다. 어렴풋이 긴 머리를 나풀거리면서 창밖에 서 있는 여자의 그림자가 보였다. 말도 안 된다고 이성이 작동하기 전에 여자가 말했다. 여자의 목소리는 귀가 아니라 머릿속에서 들렸다.

'들어가도 돼?'

재우는 거절하고 싶은 한편으로 몹시도 달콤하고 감미로운 목소리를 좀 더 듣고 싶다는 충동도 들었다. 꿈인가. 재우는 잠에서 완전히 깨고 싶었지만 몸이 말을 듣지 않았다. 몸은 목소리의 말을 듣고 싶어 했다. 손이 창가로 가서 창문을 활짝 열었다. 입이 말했다.

"들어와."

달빛을 받으며 한 여자가 서 있었다. 여자는 속이 다 비치는 긴 드레스를 입고 있었다. 창살이 있는데도 여자는 스며드는 것처럼 방 안으로 들어왔다. 여자의 얼굴을 본 재우가 중얼거렸다.

"범희? 넌 분명……."

여자는 쉿, 하고 재우의 입에 손가락을 갖다 댔다. 손가락이 얼음처럼 차가워 재우는 뒷걸음질을 쳤다. 침대가 발에 닿았고, 소년은 털썩 주저앉았다. 여자가 가슴팍을 툭 밀치자 재우는 그대로 드러누웠다. 여자는 재우 위에 올라타더니 탐스러운 머리카락을 뒤로 넘겼다. 가슴이 다 보였다. 재우는 침을 꿀꺽 삼켰다. 여자가 말했다.

"만지고 싶니?"

재우는 고개를 끄덕였다. 여자는 차디찬 두 손으로 재우의 손을 잡았다. 재우의 손바닥에 얇은 천 속의 차갑고 부드러운 가슴이 와 닿았다. 여자는 천천히 고개를 숙이더니 귓가에 대고 속삭였다.

"내 이름은 뱀희야. 뱀 할 때 뱀. 기억할 수 있지?"

재우가 고개를 끄덕이자마자 목 근처에 오스스 소름이 돋았다. 날카롭고 긴 바늘 두 개가 목덜미를 뚫었다. 끔찍한 고통과 정비례하는 쾌감에 재우는 발끝을 세우고 부르르 떨었다.

다음 날, 재우는 눈을 뜨자마자 열린 창문으로 달려가 밖을 내다보았다. 재우가 사는 곳은 18층이었다. 꿈이겠지? 재우는 반사적으로 목을 만지다가 멈칫했다. 화장실로 달려가 거울을 보았다. 목에는 뱀이 문 것처럼 작은 이빨 자국 두 개가 선명하게 나 있었다. 아직 피딱지도 앉지 않은 상태였다.

재우는 다시 방으로 돌아갔다. 기가 빨린 것처럼 몹시 피곤했다. 창밖에서 들어오는 햇살이 무척 따갑게 느껴져, 블라인드를 치고 이불을 뒤집어썼다. 학교에 가기는커녕 일어나기도 싫어서 그대로 계속 잤다.

약사인 재우의 어머니는 학교에서 걸려 온 전화를 받고 깜짝 놀랐다. 재우는 자랑스러운 아들이었다. 초등학생 때부터 공부를 잘했고, 학원에서도 톱 반이었고, 친구들하고도 두루 잘 지내고 리더십까지 있어서 줄곧 반장을 했다. 뭐든지 시키는 대로 다 잘하는 아들이었다. 그런 아들이 무단결석을 했다니 믿을 수 없었다.

재우 어머니는 급히 약국 문을 닫고 집으로 돌아왔다. 하지만 아들은 방문을 열어 주지 않았다. 문을 열고 들어가 보니 죽은 것처럼 잠들어 있었다. 어디 아픈가 싶어 이마를 만져 봤는데 놀라

울 정도로 차가웠다.

아들이 도통 일어나지 않아 인근에 위치한 내과 의사를 집까지 불렀지만, 의사는 어디가 아픈지 모르겠다고 했다. 다만 목에 작은 상처가 있는데 벌레에 물린 것 같고 그 외에는 모두 멀쩡하다고 했다. 재우는 내처 잤다.

밤이 되자 깨어난 재우는 귀를 기울였다. 창문을 두드리는 소리가 들렸다. 목소리가 말했다.

"나 뱀희야."

소년은 일어나 창문을 활짝 열고 뱀희를 받아들였다.

*

"이 자식, 왜 연락이 안 돼!"

인나는 휴대폰 통화 기록을 살펴보았다. 모두 서른 통이었다. 서른 통이 넘도록 재우는 전화를 받지 않았다. 인나는 실내복에 점퍼를 대충 걸치고 슬리퍼 차림으로 밖으로 나가려고 했지만 어머니가 막았다.

"꼴이 그게 뭐니? 어디 가는데? 이 밤에."

인나가 말했다.

"비켜."

"인나야, 너 왜 이러니? 내가 너한테 안 해 준 게 뭐니? 사 달라는 건 다 사 주고 해 달라는 건 다 해 줬는데…….”

“사 주기만 하면 다야? 겉모습만 중요하지? 내가 무슨 생각 하는지는 관심이나 있고? 돈밖에 모르는 년.”

어머니는 인나의 뺨을 짝 하고 소리 나게 때렸다. 인나는 어머니를 무섭게 노려보았다. 어머니는 당황한 표정으로 어, 하고는 말을 잇지 못했다. 인나는 어머니를 밀치고 밖으로 나왔다. 그러다 마침 술자리를 마치고 돌아오는 아버지와 마주쳤다. 그는 적당히 술이 들어가 기분 좋은 상태에서 인나를 불렀지만 딸은 대답도 하지 않았다.

아버지는 체머리를 흔들었다. 딸은 초등학교 고학년 때 사춘기가 온 이후로 그와 제대로 대화한 적이 없었다. 오늘도 그는 대수롭지 않게 생각했다. 대대로 교육자인 집안에서 문제아가 나온다는 건 있을 수 없는 일이었다. 게다가 자신이 현재 이사장인 마리아 고교에서는 더욱더.

재우가 사는 아파트에 도착한 인나는 다른 사람이 나올 때까지 공동 현관 앞에 서 있다가 얼른 들어갔다. 18층에 도착해 다짜고짜 벨을 누르자 중년 여성의 목소리가 들렸다.

“누구니?”

“재우 친군데요.”

잠시 침묵이 흐른 후, 저편에서 대꾸했다.

“친구 누구?”

인나가 말했다.

"여자 친구요. 걸프렌드, 애인. 아시죠?"

재우 어머니는 헛기침을 하더니 말했다.

"처음 듣는다. 재우는 자고 있어. 아픈가 봐."

"문 좀 열어 주세요."

"내일은 학교에 갈 거야. 학교에서 얘기하렴."

"아이, 씨. 지금 당장 열라고!"

인나는 현관문을 발로 쾅 걷어찼다. 몇 번이고 걷어찼다. 다른 집에서 문을 열고 "좀 조용히 합시다!" 하고 고함을 질렀다. 그제야 문이 열렸다. 마른 체구에 안경을 쓴 재우 어머니가 말했다.

"무슨 일인지 모르겠지만, 내일 이야기하렴."

마침 변호사 사무실에서 퇴근하고 돌아온 재우 아버지도 거들었다.

"밤늦게 무슨 실례냐? 너는 집에서 가정교육도 안 받은 거냐? 내일 얘기해라."

"실례 좋아하네. 내일은 무슨."

인나는 빈정거리며 그들을 제치고 성큼성큼 집 안으로 들어가더니 닫힌 방문을 두드리면서 외쳤다.

"박재우! 박재우!"

마침내 쾅 하고 방문이 열렸을 때, 인나는 잠시 멍하게 입을 벌렸다가 비명을 질렀다. 어두운 방의 열린 창문으로 달빛이 비치는 가운데 침대에 누워 있는 재우의 가슴에 커다란 뱀 한 마리가 똬리를 틀고 있었다.

따라 들어온 재우의 어머니는 기절했고, 아버지는 골프채를 꺼내서 뱀에게 휘둘렀다. 검은 뱀은 그들을 주욱 훑어보더니 스르륵 벽을 타고 기어가 창문 밖으로 나가 버렸다. 재우 아버지는 다리에 힘이 풀린 채로 주저앉았다가 아내를 흔들며 정신 차리라고 했다.

인나는 자신이 무슨 광경을 본 건지 잘 이해가 되지 않았다.

*

인나는 의문을 풀기 위해 수업을 마치자마자 과외를 한다며 야자도 빼먹고 매일 재우 집 주위를 맴돌았다. 재우는 여전히 등교하지 않았고, 전화도 받지 않았다.

그러던 어느 날 밤, 재우가 밖으로 나왔다. 티셔츠와 사각 팬티 차림에다 맨발이었다. 인나는 재우의 이름을 부르며 따라갔지만 무척 빠른 걸음이라 따라잡을 수가 없었다. 재우가 멈춘 곳은 아파트 뒷산이었다. 밤의 산은 으스스했지만 재우는 잘도 올라갔다. 인나는 재우를 따라 올라갔다. 산 정상에는 커다란 묘비가 있었다. 하얀 대리석은 최근에 세워진 것처럼 반짝거렸다.

달빛을 받은 비석 위에 똬리를 틀고 있는 것은 지난번과 같은 검고 큰 뱀이었다. 재우가 뱀에게로 다가가고 있었다. 뱀이 몸 위로 올라가자 드러누운 재우는 신음 소리를 냈다. 인나는 질투심을 느꼈다. 학교에서 키스한 적도 있고 인나가 재우의 손을 끌어다 자신의 가슴에 댄 적도 있지만 재우는 시큰둥했다. 그런데 지금의 재우는 몹시 만족한 것처럼 보였다. 인나는 근처에 있던 돌을 집어 그들에게 던졌다.

뱀이 인나를 쏘아보았다. 머리를 곧추세운 뱀이 붉게 빛나는 두 눈으로 바라보자 인나는 저도 모르게 비명을 질렀다. 그 소리에 정신이 든 재우는 뱀을 보고 헉 소리를 내며 자리에서 벌떡 일어났다. 뱀은 스르륵 기어가더니 순식간에 사라져 버렸다. 재우가 인나에게 말했다.

"여, 여긴 어디지?"

"너희 집 뒷산."

"왜 여기에?"

"나도 몰라. 너 따라온 거야. 네가 말해 봐."

재우는 쪼그리고 앉은 채로 부들부들 떨 뿐이었다. 인나는 입고 있던 후드 점퍼를 벗어 재우의 몸에 걸쳐 주었다. 재우가 말했다.

"나도 모르겠어. 어쩌다 이렇게 된 거지? 매일 꿈을 꾸고 있는 것 같아. 온몸이 나른해."

재우의 얼굴은 몰라볼 정도로 여위고 창백한 데다 눈도 퀭하고 다크서클까지 짙게 드리워져 있었다. 인나는 재우의 얼굴을 쓰다

듣고는 이마에 입을 맞추려 했지만 재우가 거칠게 쳐 냈다.

"가, 가까이 오지 마!"

인나가 말했다.

"그 징그러운 뱀은 괜찮고 난 싫다는 거야? 진짜 미친 거야?"

재우가 대꾸했다.

"그게 아냐! 그게 아니라, 네 냄새가 너무 좋아서 그래. 너무 향기롭고 따뜻하고 좋아 미칠 거 같아서. 널 어떻게 할까 봐……."

재우에게서 처음 들어보는 감정 실린 말이었다. 인나는 당황해서 말을 더듬었다.

"어, 어떻게 하다니?"

그 순간, 재우는 놀라운 힘으로 인나를 눕히고는 목덜미를 정성스럽게 쓰다듬다가 입을 크게 벌리고 날카로운 송곳니를 목덜미 아래쪽에 찔러 넣었다. 인나는 황홀하지만 아찔한 고통에 정신을 잃고 말았다.

3

뱀희를 최초로 발견했던 유진은 귀갓길이 고민이었다. 마리아 고교를 거점으로 동네는 부촌과 빈촌으로 나뉘었다. 마리아 고교 앞은 재우와 인나가 사는 브랜드 아파트와 고가의 빌라촌이었고 뒤쪽은 임대 아파트와 낡은 연립주택촌이었다. 유진은 학교 뒤쪽에 살았다. 유진이 사는 연립주택 골목은 야간 자율학습을 마치고 돌아오는 늦은 밤이면 인적이 드물어 무서웠다.

그런데 요즘 들어 누군가 매일 따라오는 것 같았다. 성범죄자나 퍽치기인가 싶어 뒤돌아보면 아무도 없었다. 새벽에 나가 새벽에 들어오는 홀아버지에게 사정을 털어놓지도 못했다. 유진은 아버지가 얼마나 힘들게 일하고 있는지 너무나 잘 알고 있었다. 유진은 외동딸이었고 친한 친구도 없었다.

유진은 학교에서 매일 혼자 지냈다. 1학년 때 부촌 아이들 사이에서 유진의 아버지가 택배 기사라는 소문이 났고, 그 뒤로는 무시하는 시선과 말들이 따랐다. 괴롭히는 아이들은 없었지만 아무도 상대해 주지 않았다. 이번 일 역시 혼자 해결하는 수밖에 없었다.

가벼운 발걸음 소리가 들리자 유진은 비도 오지 않는데 가져온 삼단 우산을 막대처럼 세게 쥐었다.

"유진아."

부—웅. 유진은 우산을 휘둘렀다. 하지만 가로등 불빛 아래 웃고 있는 것은 기분 나쁘게 생긴 아저씨가 아니라 아름다운 소녀였다. 유진이 말했다.

"뱀희?"

뱀희가 말했다.

"잘 지냈어? 가슴은 좀 어때?"

"아."

유진은 저도 모르게 가슴 윗부분을 어루만졌다. 뱀희가 깨물어 생긴 이빨 자국 두 개가 남아 있었다. 상처는 아직도 아물지 않아 붉은 자국이 선명했고 옷에 스칠 때면 따끔거렸다. 꼭 뱀에 물린 것처럼 작지만 잊을 수 없는 상처였다. 유진이 말했다.

"가끔 아파."

뱀희는 그렇구나, 하고 유진을 따라 걸었다. 유진이 말했다.

"집에…… 안 가? 너 실종됐다고 선생님들이 그러던데. 아마 가족들도 찾고 있을걸."

뱀희가 말했다.

"그 사람들, 내 가족 아냐. 내 가족들은 오래전에 죽었어. 나도 한 번 죽었지."

유진은 침을 꿀꺽 삼켰다.

"무슨 말이야?"

뱀희가 말했다.

"넌 이 세상에 사람밖에 없다고 믿니?"

"어?"

"그러니까, 인간의 모습을 하고 있다고 해서 모두 인간이라고 믿느냐고."

유진은 뱀희의 말을 이해할 수 없었다. 뭐라 대꾸할 말을 찾는데 뱀희가 말했다.

"세상에는 완전히 다른 존재들이 있어. 중간자들도 있고."

"중간자들?"

뱀희는 고개를 끄덕였다.

"박재우, 이인나. 걔네들이 중간자야. 거의 다 넘어왔어. 결국 완전히 달라질 거야. 이 차가운 세계에 중간은 없어."

"어? 걔들한테 무슨 일이 있었는데?"

뱀희는 대답하지 않았다. 잠시 후 뱀희가 말했다.

"얼마나 오랫동안 열여덟 살이었는지 이제 기억도 안 나. 한번 평범하게 살아 보고 싶었거든. 그런데 그게 생각보다 되게 어려운 거였네."

유진은 뱀희의 말을 곰곰이 생각해 보다 고개를 돌렸다.

"넌 도대체 누구야?"

하지만 뱀희가 있던 자리에는 어둠뿐이었다.

*

재우는 거의 죽어 가고 있었다. 낮에는 눈을 뜨지 못했고, 밤이 되면 자리에서 일어나지도 못한 채 열에 들뜬 표정으로 '뱀희! 뱀희!' 하고 부를 뿐이었다. 먹을 것은 입에도 대지 않는 통에 낯빛이 시체처럼 창백했고 갈비뼈가 드러나게 말랐다. 재우는 어머니가 억지로 밥을 먹이려 들자 어머니를 물어뜯으려고 했다. 여러

의사를 집으로 불렀지만 수차례 수혈만 받았을 뿐 상태는 나아지지 않았다.

재우의 어머니는 물론 아버지까지 약국도 변호사 사무실도 나가지 않고 밤낮으로 아들을 지켰다. 그들이 잠깐이라도 졸고 나면 어김없이 창문이 열려 있었고, 아들은 더욱 창백해진 상태였다. 재우는 결국 미라처럼 기력이 모두 빨린 채 숨을 거두었다. 재우의 장례식은 그야말로 문전성시를 이루었다. 전교생이 총출동했다고 봐도 무방했다. 선생님이며 학부모들로 장례식장은 발 디딜 틈 없이 붐볐다.

야간 자율학습을 마치고 조문을 온 승엽과 서준은 아이들 틈에서 육개장을 먹고 있었다. 매콤한 국물을 들이켜던 승엽은 주변을 둘러보다가 사레가 들렸다. 승엽이 캑캑거리며 눈을 휘둥그레 뜨고 뭔가를 가리키자 서준이 말했다.

"왜 그래? 뭔데?"

승엽은 저편을 가리킬 뿐이었다. 고개를 갸웃하던 서준도 갑자기 눈을 크게 뜨고는 히익 하고 놀랐다.

상 끝에 검은 옷을 입은 여자애가 앉아 있었다. 여자애의 얼굴은 아무리 봐도 김범희였다. 범희는 씩 웃더니 쉿 하고 손가락을 입에 가져다 댔다. 두 소년은 아무 말도 못 하고 입을 딱 벌린 채로 범희를 바라볼 뿐이었다.

범희는 자리에서 일어나더니 인파 속으로 금방 사라져 버렸다.

승엽이 말했다.

"실종되었다고 하지 않았나? 어디 알려야 되는 거 아닌가?"

서준이 말했다.

"어디에?"

"누구든. 선생님이든, 걔 부모님이든."

"걔 부모님이 누군데? 모르잖아. 누가 우리 말 듣기나 하냐? 공부나 하라고 하지."

승엽은 말문이 막혔다. 지난번 일이 떠올랐기 때문이다. 용기를 내어 사고를 알렸지만 학생부장 선생님은 자신의 말을 듣고도 범희에게 가 보지 않았다. 범희는 결국 실종되었다. 옆 반 최유진이란 애가 한바탕 소란을 피운 다음에야 사안 조사라며 자신을 불러들였지만, 더 이상 진전된 것은 없었고 사건은 미궁에 빠졌다. 자기 하나가 나서 봐야. 승엽은 체념한 얼굴로 한숨을 쉬었다. 서준이 말했다.

"내일 이인나 장례식에도 갈 거야?"

"아마도?"

서준이 절레절레 고개를 저었다.

"이게 다 무슨 일이냐, 진짜."

*

동혁은 교장실에 앉아 있었다. 오현우는 마주 앉아 한참 동안 말을 꺼내지 않았다. 동혁은 못 본 새 수척해진 교장이 무슨 말을 할지 예상하며 잠자코 있었다. 현우가 드디어 입을 열었다.

"김범희 부모님이랑은 아직도 연락이 안 됩니까?"

동혁이 말했다.

"예? 범희 부모님요?"

현우는 고개를 끄덕였다.

"그래요."

동혁은 어, 하며 머리를 긁었다. 요즘 하도 스트레스를 받아서인지 두피가 다 따끔거려서 손을 대자마자 절로 비명을 지를 것 같았지만 꾹 참았다. 동혁이 말했다.

"다시 연락해 보겠습니다."

교장이 말했다.

"연락이 안 되면 집에 찾아가서 아버지하고 다시 이야길 해 보세요. 지금 이 사태랑 김범희 학생이랑 무슨 상관이 있는 건지. 혹시나 개인적인 보복이라도 한 거라면 학교나 교육지원청에서 해결할 수 있는 문제가 아닙니다. 경찰로 넘겨야 될 겁니다."

동혁의 머릿속에 천벌과 대가를 말하던 범희 아버지의 말이 다시금 떠올랐다. 교장이 말을 이었다.

"이제 학교 쪽에서 버티는 것도 한겝니다. 학생회장에 이어 이사장 따님까지 줄초상 치르고 나니 학부모회와 이사회에서 난리도 아닙니다."

"알겠습니다."

동혁은 고개를 꾸벅 숙이고 나왔다. 그 귀신 나올 것 같은 집이며 눈만 보이는 아버지라는 작자와 다시 만나고 싶지 않았다. 하지만 자신의 직업은 선생이며 교장은 상사였다. 동혁은 주차장으로 가서 낡은 코란도에 시동을 걸었다.

차로 1시간 거리인 범희네 집에 도착하자 동혁은 새삼 이 먼 거리를 등교하느라 범희가 고생했을 거라는 생각을 했다. 범희에 대해 인간적인 생각을 한 것은 처음이었다. 학교폭력 사안 조사를 할 때도 투덜거렸다. 아니 왜 학교폭력이야, 학생폭력이지! 지들끼리 서로 때리고 괴롭히는 걸 무조건 학교 탓만 한다고 불평했다. 학생들에게는 관심이 없고 오직 자기 밥줄만 걱정하는 교장을 욕하면서도 어느새 닮아 있는 자신이 낯설었다.

동혁은 길가에 차를 대 놓고 낡은 집의 문을 두드렸다. 전보다 더 많은 까마귀들이 지붕이며 말라붙은 정원의 나무에 앉아 있었다. 그는 다시 문을 두드렸다.

"계십니까?"

동혁은 여러 번 문을 두드리고 사람을 불러 보았지만 굳게 닫힌 문은 열릴 생각을 하지 않았다. 혹시나 해서 출력해 온 학교생활기록부를 보던 그는 가족 사항에 입력된 부모의 연락처를 보았다. 어머니 아나스타시야. 사자제과. 031-000-0000.

코란도로 돌아온 동혁은 내비게이션에 사자제과를 쳤다. 여기서 또 1시간 거리였다. 가면 만날 수 있을까? 일단 확인부터 해 보자고 생각한 그는 차에 기대어 전화를 걸었다. 전화는 이리저리 넘어가더니 사원 관리 담당자에게로 연결되었다. 담당자는 기다리라고 하더니 잠시 후 말했다.

"여보세요? 아나스타시야 말씀하셨죠? 얼마 전에 권고 사직했어요. 외국인 노동자인 건 아시죠?"

"네? 아, 네."

담당자가 말했다.

"한국말도 잘하고 야무진 편이었는데 과자를 너무 많이 훔쳐서 감독이 마지막으로 경고했더니 글쎄 그랬대요. 자기가 쏘아보기만 해도 저주를 걸 수 있는 마녀라나. 딸도 있는데 일부러 남들 눈에 안 띄게 산다고……."

그때 날카로운 뭔가가 목덜미를 가격했다. 목을 만진 손을 보니 피부가 찢어졌는지 선홍색 피가 흥건하게 묻어 있었다. 깜짝 놀란 동혁이 사방을 둘러보다가 하늘을 올려다보자 까마귀들이 위에서 선회하고 있는 것이 보였다.

"이게 대체……."

목까지 울리며 위협적으로 끄으악끄으악 우는 소리가 들렸다.

아까 범희네 집 지붕에 앉아 있던 까마귀들이 모두 그의 머리 위에 모여 있었다. 심상치 않은 기세였다. 그는 차에 올라타 다급히 시동을 걸었다. 까마귀 떼는 한참 그를 쫓아오다가 이윽고 가 버렸다.

*

현우는 교장실에 앉아 두통약을 먹으며 학생부장이 이 사태를 정리하길 바랐다. 학교폭력 사건은 몇 년에 한 번씩 발생하곤 했지만 대개 원만히 해결되곤 했다. 피해 학생이 자살하거나 전학을 가기도 했지만 절차상 원만하면 끝이었다. 이번 같은 경우는 처음이었다. 피해자는 실종되고 가해자들이 다 죽어 버리다니 일이 아주 골치 아프게 되었다. 게다가 가해자들은…….

생각할수록 머리가 더 지끈거려 현우는 퇴근하기로 마음먹었다. 교직원 주차장으로 가서 그랜저에 시동을 걸자 누군가 똑똑 창문을 두드렸다. 검은 숄을 두르고 선글라스를 낀 여자였다. 그가 창문을 조금 내리자 여자가 말했다.

"아나스타시야라고 합니다. 범희 어머니죠. 잠깐 타도 될까요?"

범희 어머니라는 말에 귀가 번쩍 뜨였다. 교장은 얼른 잠금장치를 풀고 문을 열어 주었다. 아나스타시야는 조수석에 탔다. 교장은 걱정부터 표하자고 다짐하며 감정 연습을 했다.

고개를 돌리자 선글라스를 살짝 내리고 자신을 날카롭게 쏘아보는 잿빛 눈과 마주쳤다. 교장은 심호흡한 다음 입을 열었다.

"따님은 댁에 있나요?"

아나스타시야는 고개를 저었다. 예상대로였다. 현우가 말했다.

"실종 신고는 하셨는지요? 심려가 크시겠……."

"웃기시네."

현우가 눈살을 찌푸리며 쳐다보자 아나스타시야가 말했다.

"정말 걱정하고 있어요? 사라진 우리 딸의 생사를?"

"네? 아, 물론입니다. 미처 알지 못했던 것을 매우 죄송하게 여기고……."

"거짓말. 당신, 애들 싫어하잖아."

현우는 이 여자가 살짝 돌았나 싶었지만 꾹 참고 침착하려 애쓰며 말했다.

"무슨 말씀이신지요? 저는 학생 한 사람 한 사람을 제 자식처럼 아끼고 소중히……."

"아, 그 장애아처럼?"

현우는 아나스타시야를 쏘아보았다. 어디서 자신의 딸에 대한 이야기를 듣고 온 모양이었지만 말이 심했다. 아나스타시야가 말했다.

"매일 보는 아이들을 미워하고 저주했지? 당신 딸은 절대 갖지 못할 건강한 몸들을 말이야."

"이 아줌마가!"

현우의 목소리가 부들부들 떨렸다. 아나스타시야는 현우를 빤히 쳐다보았다. 잿빛 눈이 점점 커지면서 호수처럼 맑아졌다. 그는 호수에 비친 자신의 모습을 보았다. 자신의 일생이 보였다. 장애를 가지고 태어난 딸, 그리고 그 애만을 돌보면서 살아온 부부의 인생.

딸은 다른 아이들처럼 성장하지 않았다. 그들의 집에는 웃음이 없었다. 쌓이는 건 청구서뿐이었고 외출할 곳은 병원뿐이었다. 가끔 그는 자신이 딸을 사랑하는지, 이대로 가스를 풀거나 뛰어내리면 안 되는 건지 궁금했다. 사람들은 그런 그를 칭송하고 우러러보았다. 그 상태로 은퇴할 예정이었다.

그 뒤는 신의 뜻이었다. 그는 독실한 기독교 신자라 아이가 태중일 때 장애가 있다는 것을 알면서도 차마 낙태를 권하지 못했다. 딸이 태어난 뒤로 내내 아내를 원망해 왔다. 어느새 선글라스를 낀 아나스타시야가 말했다.

"당신 마음은 이미 죽어 있네. 저주할 것도 없이."

죽어 있다니. 현우는 문득 정신을 차리고 말했다.

"저, 이제 어떻게……."

아나스타시야가 말했다,

"기억하면 충분해요."

"기억?"

"앞으로도 이런 일이 생기기 전에, 남은 학생들과 선생님들 그리고 당신이 기억하면 충분하다고요. 범희의 경우를 떠올려 보라고."

아나스타시야는 깜빡 있었다는 듯 아, 하고 덧붙였다.

"이제 그 아이는 자신을 뱀희라고 하더군요. 뱀희의 경우를 떠올리라고 해 주세요. 뱀희가 또다시 찾아올 거라고."

현우가 말했다.

"다시 찾아온다니요? 어디 있는지 알고 계신 건가요? 어디에 있습니까?"

그녀는 대답 없이 차 문을 닫고 나갔다. 현우는 잠깐 멍하게 있다가 얼른 따라 나갔지만 텅 빈 주차장에는 그림자 하나 보이지 않았다.

4

1년 뒤, 마리아 고교 옥상에서 유진이 유서 위에 신발을 가지런히 벗어 두고 담장 위로 올라섰다. 한 발짝만 더 떼면 아래로 떨어지는 상황. 그때 누군가가 유진에게 말을 걸었다.

"유진아."

뱀희는 밤하늘을 날아와 소녀 곁에 살포시 섰다. 유진은 너무 놀라서 하마터면 떨어질 뻔했다. 차갑고 부드러운 손이 유진의 손을 잡아 담장 안으로 끌어당겨 내렸다. 손아귀의 힘이 아주 셌다. 뱀희가 말했다.

"나 뱀희야. 기억나지?"

작가의 말

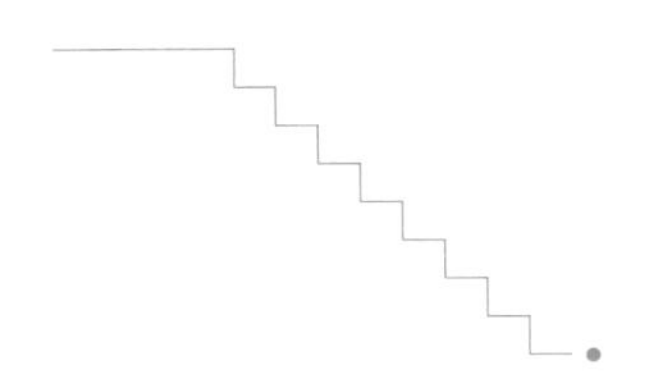

「뱀희」를 구상할 때의 의도는 단순했습니다. 전혀 눈에 띄지 않는 평범한 소녀가 사실은 아주 무서운 존재였으면 좋겠다, 피해를 입지만 당하는 것으로 끝나지 않고 오히려 자신을 괴롭히는 폭력의 고리를 부숴 버리는 아이였으면 시원하겠다, 그리고 그 아이는 홀연히 사라져 버렸으면 좋겠다, 이 정도로 간략히 구상하고 시작했습니다.

학교폭력에 관련된 자료들을 읽으면서 놀랍기도 하고 슬프기도 했습니다. 직접 겪은 적도 없었고 취재하기도 어려워 자료를 많이 찾아 읽고 보았는데, 학교폭력의 주동자는 흔히 짐작하듯 가난하고 사회에 불만이 있는 아이들이 아니라 오히려 부유한 집에 살고 공부도 잘해 학교에서도 리더십을 인정받는 아이들이었습니다. 그야말로 사회의 약육강식 구도가 학교 내에서도 그대로 펼쳐지고 있는 상태였습니다.

그렇게 깨닫고 보면 학교폭력이 일어났을 때 정말 아이들에게만 잘못이 있다고 할 수 있는가, 직접적인 관계자들을 떠나 크게 바라보면 사회구조 자체가 문제가 아닌가, 소외된 사람들을 더

소외시키고 짓밟는 이 승자 독식 사회의 문제가 아닌가 하는 느낌이 들었습니다.

때문에 처음에 구상한 존재는 이 사회의 외부에 위치하는 어떤 초자연적 존재인 흡혈귀가 되었습니다. 외부자가 내부자를 처단하고 사라지는 구조인데, 외부가 없다면 내부가 잘못되어 가고 있는 것을 알려 주는 사람이 없을 거라는 생각에서였습니다.

학교가 닫힌 문 안에서만 기능하지 않고 사회와 함께 소통하며 성장해 나가는, 환기가 잘되어 있는 공동체였으면 좋겠습니다. 문제가 생기면 어느 단체와 개인의 문제라고만 생각하지 않고 모두의 문제라고 여기고 같이 고민했으면 좋겠습니다. 그런 바람을 담아 무거운 주제이지만 한 번쯤 꼭 되짚어보고 싶다는 마음으로 써 보았습니다.

재미있게 읽어 주셨으면 좋겠습니다.

즐거운 나의 학교

정명섭

정명섭

『기억, 직지』로 직지소설문학상을 수상했으며, 『조선변호사 왕실소송사건』으로 제21회 부산국제영화제에서 NEW 크리에이터상을 받았다. 지은 책으로 『저수지의 아이들』 『한성 프리메이슨』 『유품정리사』 『상해임시정부』 『살아서 가야 한다』 『달이 부서진 밤』 『미스 손탁』 『어쩌다 고양이 탐정』 등이 있다. 그 외 단편 앤솔러지 『달고나, 예리』 『일인용 캡슐』 등이 있다.

"야! 안상태! 요즘 상태 어때?"

복도를 걷던 나는 뒤에서 들려오는 재수 없는 목소리에 짜증을 냈다. 하지만 목소리의 주인공이 학교에서 2인자인 강명구였기 때문에 꾹 참아야만 했다. 거기다 전학을 오면서 사고 치지 않기로 했던 약속 때문에라도 더더욱 참아야만 했다. 잠시 심호흡을 하고 표정 관리를 하면서 돌아섰다.

"그저 그래. 무슨 일인데?"

교복 셔츠를 풀어 헤친 채 콧구멍을 후비적거리며 다가온 명구는 그 손으로 내 어깨에 손을 올렸다.

"나랑 얘기 좀 하자. 폭파범."

"누가 그래. 나 그냥 전학생이야, 전학생."

"씨발, 그냥 전학생은 아니잖아. 지난번에 다니던 창곡중학교 교실을 폭탄으로 씨밤쾅 터트렸다며?"

"누명 쓴 거라고 했잖아."

"어쨌든, 교실 불태운다느니 폭파시킨다고 입 턴 애들은 많아도 실제로 날린 건 대한민국에 너밖에 없을걸."

실제로 교실을 날린 건, 학교에서 잘나가던 아이들의 짓이었다. 나는 단지 폭발물이 든 가방을 교실로 옮겼을 뿐이다. 하지만 그 아이들 짓이라는 걸 증명할 방법이 없어서 글자 그대로 망할 뻔했다. 다행히 내가 가끔 일을 도와주던 준혁 아저씨의 도움으로 누명을 벗었다. 하지만 많은 사람이 아직도 내가 교실을 불바다로 만든 줄 알았다. 진범들이 밝혀지면서 누명을 벗고 일단락되었지만 학교에서의 눈총까지 피할 수는 없었다. 웃기게도 진범으로 밝혀져서 자퇴하거나 퇴학당한 아이들은 모범생에 집안도 빵빵했기 때문이다. 그들을 범인으로 만든 나는 학교에서 보이지 않는 따돌림과 손가락질을 받아야만 했다. 그러다 결국 지금의 학교로 전학을 와야만 했다. 다시 사고를 치면 받아 줄 학교가 없다는 교장 선생님의 말에 남은 기간을 얌전히 지내기로 결심했다. 그래서 학교 안에서 벌어지는 온갖 사건, 사고를 모른 척했다. 하지만 오늘 재수 없게도 명구에게 붙잡히고 말았다. 뒤통수가 못생기게 튀어나와서 빡구라는 별명도 있었지만 적어도 학교에서는 그 별명을 부르는 사람이 없었다. 딱 한 명이 있었지만 현재는 학교에 없었다. 명구가 나를 데리고 간 곳은 복도 끝에 있는 미술실 앞이었다. 큰 창문 앞에 선 명구가 창밖 화단 쪽 담장을 가리켰다.

"저기야."

"뭐가?"

"대니 최 뒤통수가 깨진 골목."

"아."

더 할 말이 없었다. 전학 온 이 학교는 창곡중학교가 천국처럼 생각될 정도로 최악이었다. 하루가 멀다 하고 온갖 사고가 터지고, 빽 하면 경찰차가 와서 학생들을 잡아갔다. 선생님들은 그런 학생들을 뜯어말리기는커녕 휘말리지 않는 걸 최고의 목표로 삼는 것 같았다. 폭력이 난무하는 학교는 몇몇 패거리가 사실상 좌지우지했다. 가장 세력이 큰 것은 대니 최라는 녀석의 무리였다. 대니 최는 뉴질랜드로 조기 유학을 갔다가 모종의 사고를 치고 돌아왔다. 외국물을 먹었다고 하는데 영어 솜씨는 형편없었고, 체구도 작은 편이었다. 하지만 대기업 임원 아버지와 부장판사 출신 변호사 어머니라는 어마어마한 배경을 가지고 있었다. 그래서 대니 최의 부모님이 오는 날은 담임 선생님이 교문까지 나가서 기다렸다는 전설 아닌 전설까지 존재하는 상황이었다. 처음에는 왜 그런 집안 애가 이런 학교에 다니는지 궁금했지만 곧 의문이 풀렸다. 강남의 학교를 다니다가 사고를 치고 전학 온 것이다. 나랑 비슷한 상황이었지만 처지나 대우는 하늘과 땅 차이였다. 나는 찌그러져 있어야 했고, 대니 최는 물 만난 고기처럼 학교를 휘젓고 다녔다. 잘나가는 부모, 공부와는 거리가 멀었지만 뛰어난 잔머리, 그리고 상상도 못 할 잔혹함으로 학교를 휘어잡는 일진이 되었다. 들리는 소문은 무시무시하다 못해 끔찍했는데 대드는 따까리를 잡아다가 여자 친구 앞에서 못 볼 꼴을 보이게 만들었다는 것이다. 그 후, 따까리는 학교를 자퇴했고, 여자 친구 역시 소리 소문 없이 학교를 떠났다. 직접 움직이지는 않고 행동대장 격인 똘마니를 몇 명 뒀는데 나에게 말을 건 빡구도 그중 한 명이었다. 다시 코를 후비적거린 빡구가 입을 열었다.

"그 새끼가 왜 한밤중에 저 골목에 갔을까?"

"누굴 만나려고 간 거 아니야?"

"조심성 많은 놈이 혼자서 저길 갈 리가 없어."

"그런데 갔잖아."

"덕분에 뒤통수에 벽돌을 맞고 병원에 누워 있잖아. 씨발, 학교는 발칵 뒤집혔고."

"탈탈 털렸지."

내 말에 빡구도 같은 생각이라는 듯 고개를 끄덕거렸다. 며칠 전 밤중에 학교 뒷문이 있는 골목에서 대니 최가 누군가에게 벽돌로 뒤통수를 맞고 쓰러졌다. 새벽에 청소부에게 발견되어서 병원에 실려 갔다. 학교를 주름잡는 일진이 그런 상태로 발견되자 그야말로 벼락이라도 맞은 것처럼 난리가 났다. 새까맣게 몰려온 경찰들이 조사를 시작했고, 선생님들은 반마다 다니면서 용의자를 색출했다. 하지만 그런 작업들은 곧 중단되고 말았다. 용의자가 너무 많았기 때문이다.

"농담 아니고 기회만 된다면 학생들 중 절반은 대니 최를 죽이고 싶었을 거야."

내 말에 빡구가 피식 웃었다.

"학생들뿐이겠어. 선생들도 꽤 될 거야."

"돈을 엄청 쓰는데 왜?"

대니 최의 부모가 어마어마한 촌지를 뿌린다는 소문은 나도 들은 적이 있었다. 빡구가 못생긴 뒤통수를 긁으며 대답했다.

"자존심 상한다 이거지. 우리 반 담임도 싫어했어."

"그런데 나한테 왜 그런 얘기를 해?"

곰곰이 듣다 던진 나의 물음에 빡구가 어깨에 올렸던 손으로 목을 꽉 조였다. 주머니에 넣어 둔 볼펜으로 옆구리를 찌르면 쉽게 풀려날 수 있었지만 그 후가 문제였기 때문에 묵묵히 견뎠다. 서류 파일을 옆구리에 낀 선생님이 우리를 못 본 척 고개를 돌리고 서둘러 계단을 내려갔다. 한참 힘자랑을 한 빡구가 손을 풀었다.

"내가 너한테 왜 그런 얘기를 했겠어?"

"설마 내가 범인이라서 그런 건 아니지?"

힘없고 백 없으면 누명도 쉽게 썼다. 부잣집 아이의 말은 쉽게 믿는 반면, 가난하고 꾀죄죄한 아이의 말은 일단 의심하고 보는 어른들이 많았기 때문이다. 준혁 아저씨는 학교가 지옥인 건 사회가 지옥이기 때문이라는 꼰대스러운 발언을 했다. 그 말은 반은 맞고 반은 틀렸다. 그 지옥에서 버틴 아이들이 사회에 나가서 그곳도 지옥으로 만들어 버린 것이다. 생각에 잠겨 있는 내가 겁을 먹었다고 판단했는지 빽구가 코웃음을 쳤다.

"모르나 본데, 범인은 없어."

"그럼 자기 뒤통수를 자기가 때렸다는 거야?"

"누군가 때렸겠지. 하지만 조사하다가 대니 최가 저지른 짓이 밝혀질까 봐 덮기로 했나 봐."

"진짜? 부모가 그런다고 경찰이 조사를 멈춘 거야?"

"물론, 너나 나는 불가능하지. 하지만 걔 엄마가 부장판사였잖아. 아빠도 무슨 대기업 임원이고."

빽구의 얘기를 듣자 한숨이 나왔다. 학교에서는 분명 대한민국은 평등한 국가이며 차별이 없다고 배웠는데 실제로는 조선시대보다 더한 신분제 국가 같았다. 내가 한숨 쉬는 걸 본 빽구가 뒤통수를 쓰다듬어 줬다.

"그래서 너한테 의뢰할 거야."

"뭘?"

"대니 최 뒤통수를 때린 놈을 찾으라는 의뢰."

"경찰도 못 찾았는데 내가 어떻게?"

황당하다는 표정으로 대꾸하자 빽구가 다시 목을 졸랐다.

"범인을 찾고 싶은데 짭새한테 물어볼 수는 없잖아?"

"내가 어떻게 찾아?"
"창곡중학교에 친구들이 좀 있어. 너 활약이 대단했더라."
생각지도 못한 얘기에 나는 할 말을 잊었다. 그런 나에게 빡구가 말했다.
"다음 주까지 범인이 누군지 알아서 나한테 보고해."
"왜? 짭새한테 알려 주게?"
대답은 아랫배에 파고드는 묵직한 펀치가 대신했다. 순간적으로 숨이 막혀 허리를 굽힌 채 헉헉거리자 빡구가 코웃음을 쳤다.
"난 이런 대화가 싫어. 그냥 하라면 하면 되지 왜 토를 달아?"
'돈을 주는 것도 아니면서'라는 말을 꾹 참고 아랫배를 쓰다듬었다. 빡구가 내 어깨를 토닥거렸다.
"다음에는 토 달지 마라. 대니 최는 네가 이상한 놈이라고 건드리지 말라고 했지만 나한테는 그딴 거 없어. 알았지?"
고개를 끄덕거리자 빡구가 내 엉덩이를 퍽 걷어차며 말했다.
"다음 주 월요일까지야. 알았어?"
화끈 달아오른 엉덩이를 만지작거리며 창밖을 바라봤다.

"그렇게 된 거예요."
골목길에 선 내 말에 준혁 아저씨는 배꼽을 잡고 웃었다.
"천하의 안상태가 어쩌다 그런 상태가 된 거야?"
"아이, 진짜 이름 가지고 놀리지 말라니까요!"

내가 버럭 화를 내자 준혁 아저씨가 손사래를 쳤다.

"알았어. 미안."

미안하다고는 했지만 돌아서면 잊어버릴 게 뻔했다. 준혁 아저씨는 생긴 건 안여돼, 그러니까 안경 낀 여드름 돼지에 작가 지망생이자 탐정을 꿈꾸는 백수였다. 펑퍼짐한 배에 안경이 꼭 끼어서 터져 나갈 것 같은 푸석푸석한 얼굴을 했지만 실력은 제법 좋았고, 운도 좋은 편이었다. 몇 건의 사건을 해결해서 비공식적인 탐정으로 활동 중이다. 짜증 나는 아재개그를 구사하고, 잔소리가 많은 편이지만 수고비는 제대로 챙겨 주는 편이라서 꾹 참고 일을 도와줬다. 준혁 아저씨는 내 얘기를 듣자마자 달려와 줬다. 물론 만나자마자 아재개그를 구사했지만 말이다. 허리띠 밖으로 흘러나온 두툼한 옆구리 위에 손을 올린 준혁 아저씨가 골목길을 앞뒤로 살펴보면서 휘파람을 불었다. 전화로 준혁 아저씨는 사건이 벌어진 밤 시간에 만나자고 했다. 그래야 무슨 일이 벌어졌는지를 알 수 있다면서 말이다. 생긴 거나 말하는 것과는 다르게 머리가 잘 굴러갈 때가 있다면서 나는 속으로 감탄했다. 입구에 서서 어두컴컴한 골목길을 바라보던 준혁 아저씨가 고개를 절레절레 저었다.

"서울에 이런 골목이 있을 줄은 몰랐네."

"여긴 변두리잖아요."

"그렇긴 해도 이렇게 가로등도 없고, CCTV도 드문 곳은 처음 본다. 개봉동도 이렇지는 않은데 말이야."

"여기도 CCTV 있어요. 사고 나고 부랴부랴 달아 놓은 거긴 하지만요."

"환장하겠네. 일단 가 보자."

준혁 아저씨가 뚜벅뚜벅 걸었고, 나는 뒤를 따랐다. 골목길 왼쪽으로는 학교의 뒤쪽 담장이 쭉 이어졌고, 오른쪽은 산자락을 지탱하는 높다란 축대가 있었다. 그쪽을 본 준혁 아저씨가 투덜거렸다.

"완전 만리장성이네, 만리장성."

그렇게 길이 50미터 정도 이어졌다. 길은 가운데가 볼록 솟은 언덕 형태라서 건너편은 보이지 않았다. 거기다 가로등도 별로 없어서 밤중이 되면 좀 으스스한 느낌을 받았다. 언덕길을 타박타박 올라간 준혁 아저씨가 계속 주변을 돌아봤다. 드문드문 세워져 있는 전봇대에 버려진 의자와 쓰레기들이 쌓여 있었고, 커다란 쓰레기통처럼 생긴 의류 수거함도 보였다. 코 옆을 긁적거린 준혁 아저씨가 물었다.

"어디쯤이야?"

"저기요."

나는 턱으로 옆으로 기울어진 전봇대를 가리켰다. 다행히 아침 일찍 등교했다가 담장 너머로 현장을 목격한 1학년이 있어서 비교적 자세하게 얘기를 들을 수 있었다. 대니 최가 쓰러진 장소는 정확히 골목길 중간에 있었고, 그 옆에는 가로등이 쌍둥이처럼 서서 희미한 빛을 뿜어내는 중이었다. 전봇대 아래에는 하얀색

래커로 쓰러진 사람의 모습이 그려져 있었다. 그걸 보고 준혁 아저씨가 물었다.

"앞으로 자빠진 거야, 아니면 뒤로 넘어진 거야?"

"앞으로 넘어져 있었대요. 그리고 머리에서 피가 좀 흘러나왔고, 옆에는 벽돌 같은 게 뒹굴고 있었다고 하더라고요."

"그놈이 학교 일진이었다며."

"그런 표현으로는 부족해요."

"그럼?"

준혁 아저씨가 궁금한 표정으로 나를 바라봤다. 바닥의 하얀 래커를 내려다보면서 대답했다.

"지배자였어요, 지배자."

"학교가 무슨 왕국이야? 요즘 애들은 정말……."

코웃음을 친 준혁 아저씨를 보며 역시 꼰대라는 생각이 들었다.

"아빠 엄마가 누군지 말해 줬잖아요. 거기다 머리가 엄청 좋은 애라 꼬투리도 안 잡혀요."

"그런데 어쩌다 여기서 뒤통수가 깨진 거야?"

"모르죠. 경찰들도 조사하다가 손 놨으니까요."

"낮에 배불뚝이 강 형사한테 전화해 봤거든."

"뭐래요?"

"손대지 말래. 파리들이 엄청 꼬여 있다고 하면서 말이야. 그래도 뒤통수를 벽돌로 맞았다는 건 확인해 줬으니까 고맙다고 했지. 그러면서 황당해하더라."

"뭐를요?"

"머리 깨진 쪽에서 오히려 덮으려고 한다고 말이야."

"그 정도로 나쁜 짓을 많이 했다는 얘기잖아요."

"골 때리는 일이지. 남들 때리고 괴롭히는 걸 대수롭지 않게 여기던 놈이 이렇게 당했으니 정의구현이라고 해야 하나? 아니면 꼴좋다고 해야 하나?"

"나쁜 놈이 나쁜 짓을 당한 거죠. 더 나쁜 놈한테요."

심드렁하게 대꾸하자 준혁 아저씨가 제법이라는 표정을 지었다.

"나중에 내 소설에 써 봐야겠다. 이번에 구상하고 있는 작품이랑 딱 맞겠어."

기분이 좋아졌는지 호탕하게 웃은 준혁 아저씨가 길 가운데 서서 주변을 돌아봤다. 그러면서 덧붙였다.

"모든 증거는 현장에 남아 있는 법이고 말이야."

"여긴 뭐가 남아 있는데요?"

"완전 호랑이 굴이잖아. 양쪽 입구만 지키고 있으면 좌우로는 도망칠 곳이 없어. 거기다 밤이라면 학교는 비었을 거고, 축대까지 있어서 소리를 쳐도 사람들이 잘 오지 않았을 거야."

"그래서 다들 이상하게 생각해요. 조심성이 많아서 학교에 있을 때도 꼭 자기네 패거리랑 움직였다고 했거든요."

"그럼 여기 혼자서 온 이유를 찾아보면 범인이 누군지 알 수 있겠네. 아니면 어떻게 공격했는지 방법을 알아내든가."

준혁 아저씨의 말에 내가 골목길을 돌아보면서 얘기했다.

"아저씨가 저쪽에서 천천히 걸어와 보세요. 제가 근처에 숨어 있어 볼게요."

"테스트하겠다 이거지. 상태가 제법인데?"

"얼른 가세요."

준혁 아저씨가 터덜터덜 걸어가는 걸 보면서 바닥에 있는 돌을 하나 집어 들고 전봇대 뒤로 숨었다. 잠시 후, 휘파람을 불면서 준혁 아저씨가 걸어오는 게 보였다. 숨는다고 숨었지만 준혁 아저씨는 금방 알아차렸다.

"전봇대 뒤에 있는 거 다 보인다."

같은 방식으로 가로등 뒤나 의류 수거함 뒤에 숨어 봤지만 준혁 아저씨의 눈을 피하지는 못했다. 가로등이 별로 없는 어두운 골목이라고 해도 워낙 좁았기 때문에 완벽하게 몸을 숨기는 건 어려운 일이었다. 세 번째 시도가 실패로 돌아가자 결국 포기하고 말았다.

"몰래 숨어 있다가 기습하는 건 불가능하네요."

"그러게. 그럼 남은 건 여기서 누구랑 만나기로 했는데 그 사람이 공격해서 쓰러뜨렸다는 것밖에는 없어."

"대니 최는 엄청 조심성이 많다고 했잖아요."

내 얘기를 들은 준혁 아저씨가 머리를 벅벅 긁으면서 주변을 돌아봤다.

"이 시간에 여기에서 누구랑 만날 약속을 했을 거야. 그리고 상대방을 아주 잘 알거나 적대감을 느끼지 않았던 것 같아."

"아니면 완전 호구를 만나려고 왔든가요."

내 말에 준혁 아저씨가 코웃음을 쳤다.

"가장 좋은 건 CCTV인데 그건 없고, 배불뚝이 강 형사한테 휴대폰에서 뭐 나온 거 없냐고 했더니 텔레그램을 쓴 것 같다고 하더라."

"무슨 007도 아니고."

"그러니까 일진 중의 일진 대니 최는 한밤중에 누군가를 만나러 이곳에 왔다가 벽돌로 뒤통수를 가격당해서 쓰러진 거야. 용의자는 차고 넘치는 상황이고 말이야."

"일단 밤중에 혼자 온 이유를 알아내야겠네요."

고개를 끄덕거린 준혁 아저씨가 대답했다.

"그중에서도 왜 여기였을까를 생각해 봐야지."

그러면서 뭔가 미련이 남은 표정으로 골목을 바라봤다.

"그래도 의문점이 좀 있어."

"어떤 의문이요?"

"뒤통수를 맞았다는 건 상대방에게 등을 보였거나 혹은 방심하고 있었다는 뜻이잖아. 그런데 흉기는 손에 들거나 옷 속에 숨기기에는 너무 큰 벽돌이고 말이야. 처음부터 해치기로 마음먹었다면 벽돌을 들고 오지는 않았겠지."

"그럼 이 근처에 있는 걸 썼단 얘기네요."

준혁 아저씨의 말을 듣고 주변을 두리번거렸다. 그리고 범인이 벽돌을 어디에서 구했는지 찾아냈다.

"여기네요."

가로등과 의류 수거함 사이에 몇 개의 벽돌이 보였다. 다들 깨지거나 절반으로 쪼개져 있었다. 부서진 벽돌 조각을 집어서 건네자 준혁 아저씨가 이리저리 살펴봤다.

"이걸 흉기로 썼다면 범죄는 계획된 게 아니었어. 그냥 만나려고 했다가 갑자기 마음이 바뀌었든지 아니면 말다툼 같은 걸 하다가 화가 나서 벽돌을 휘둘렀을 거야."

"말다툼을 하지는 않았을 거예요."

"왜?"

"다투고 나서 상대방에게 등을 보이지는 않았을 테니까요. 뒷걸음질 쳤든지 도망쳤다면 모르겠지만요."

"그럼 만나자마자 빡쳐서 뒹굴고 있던 벽돌을 집어서 내리쳤다는 거야?"

"얘기했잖아요. 엄청 조심성 많은 놈이라고요. 그 정도 사이였다면 이렇게 으슥한 곳에서 한밤중에 만나지도 않았겠죠."

내 얘기를 들은 준혁 아저씨의 얼굴이 찌푸려졌다.

"다시 도돌이표네. 일단 현장 확인은 이 정도로 하고, 용의자를 추려 보자."

"한둘이 아니라니까요."

"그렇다고 해도 그 녀석이 여기까지 와서 만날 정도면 추릴 수 있을 거야. 누가 있을까?"

"일단 똘마니들이겠죠. 가깝게 지내는."

"학교에서도 자주 만날 수 있고, 카톡이나 전화로 연락한 흔적이 없었잖아."

"그럼 갈구는 애들 중에 하나일 수도 있고요."

"직접 안 나서는 스타일이라며?"

어쩐지 준혁 아저씨가 자꾸 딴지를 거는 것 같아 퉁명스럽게 대꾸했다.

"스타일이야 얼마든지 바뀔 수 있죠."

"탐정은 그렇게 생각하면 안 되지."

"우리나라에서는 아직 불법이거든요."

"어쨌든 내일 학교 가서 수소문을 좀 해 봐. 그 녀석이 한밤중에 이 골목길에서 만날 만한 사람이 누구인지 말이야."

"알겠어요. 학교 끝나고 어디서 만날까요?"

"학교 앞에 분식집 있더라. 거기 떡볶이 맛있어 보이던데?"

"거긴 튀김이 끝내줘요. 근데 거긴 학교 애들이 많이 오니까 거기서 쭉 나가면 큰길에 있는 꽈배기집에서 봐요."

"튀김도 좋아하는데."

"탐정이라면 먹을 걸 좀 참아 보세요."

나의 핀잔에 준혁 아저씨가 씩 웃었다.

"노력해 보마. 내일 보자."

수업이 끝나자 학생들은 뒤도 돌아보지 않고 학교 밖으로 나갔다. 방과 후 교실 같은 걸 하지만 진지하게 듣는 학생은 별로 없었다. 나 역시 교문을 나와서 언덕길을 내려갔다. 어제 준혁 아저씨가 얘기한 분식집은 학생들로 가득했다. 그중에는 빡구의 모습도 보였다. 그 옆에는 빡구와 그 패거리가 먹는 음식값을 대신 계산해 주기 위해 기다리고 있는 불쌍한 호구들이 서 있었다. 대니 최가 사라진 학교는 더 시끄러워졌다. 그의 자리를 차지하기 위해서 빡구 같은 애들이 움직였기 때문이다. 학교 분위기는 더욱더 나빠졌지만 아이들은 두들겨 맞거나 더 험한 꼴을 당할까 봐 입도 뻥끗 못 했다. 분식집 앞에서 웅성대는 아이들을 지나 큰길가에 있는 꽈배기집으로 향했다. 그곳에 먼저 도착한 준혁 아저씨는 앞치마를 입은 주인아주머니와 웃으며 얘기를 나누는 중이었다. 그러다 문을 열고 들어서는 나를 보고는 래퍼처럼 건들거리며 한 손을 들었다.

"왔어, 브라더."

"오늘은 또 래퍼예요? 탐정이면 일관성이 좀 있어야 하는 거 아닌가요?"

"탐정은 범인만 잘 찾으면 돼. 뚱보건 래퍼건 가수건 상관없다니까."

말을 더 하면 입만 아파진다는 사실과 아쉬운 건 나라는 생각에 짜증을 참고 자리에 앉았다. 그러자 준혁 아저씨가 입가에 묻은 꽈배기 설탕을 손으로 털면서 물었다.

"뭣 좀 알아냈어?"

"그날 밤에 대니 최를 만났을 법한 용의자를 몇 명 추렸어요."

"역시. 내 조수답네. 읊어 봐라."

때마침 나온 꽈배기를 넓적한 콧구멍에 콱 쑤셔 박아 버리고 싶은 걸 겨우 참았다. 다음 주 월요일까지 빡구에게 범인이나 범인 비스름한 거라도 바쳐야 했다. 그러지 않으면 남은 학창 시절에 엄청난 고난과 역경이 기다리고 있을 게 뻔했다. 꽈배기를 한 입 베어 물고 입가에 묻은 설탕을 털어 내는 것으로 화를 삭였다.

"첫 번째 용의자는 남진주 선생님입니다."

"선생님? 여자 같은데?"

"맞아요. 3학년 국어 선생님이자 우리 담임이에요."

"근데 왜?"

"최근에 대니 최 부모랑 사이가 굉장히 나빴어요."

"자세히 얘기 좀 해 봐."

뭔가 단서를 기대한 것 같은 모습이었지만 나한테 말을 시키고 그사이 자기가 꽈배기를 다 먹어 치우려고 하는지도 몰랐다.

"그러니까 생활기록부에 대니 최에 대해서 안 좋게 쓰려고 했나 봐요. 그건 한번 올라가면 못 고치는 거라고 하더라고요."

"그래서?"

"대니 최 부모가 생활기록부 문구를 고쳐 달라고 했나 봐요. 안 된다고 해서 분위기가 살벌해졌고요."

"엄청 용기 있는 선생이네. 그래서?"

"남진주 선생님 아들이 근처 초등학교를 다니는데 대니 최가 몇 다리 건너서 걔를 괴롭혔나 봐요."

어처구니가 없다는 표정을 지은 준혁 아저씨가 고개를 절레절레 저었다.

"뭐라고? 아이고 진짜 대단하네."

"여긴 정글이라고요, 정글."

"무슨 정글. 정신병원이지. 그래서 밤중에 만난 거래?"

"그게 아니라 며칠 전에 교무실에 찾아온 대니 최 엄마랑 남진주 선생님이랑 모종의 합의를 봤다는 소문이 돌았어요."

"무슨 정상회담이야? 합의를 보게."

"자꾸 꼰대 같은 얘기 할 거예요?"

발끈하는 내게 준혁 아저씨가 미안하다고 말하며 눈을 껌뻑거렸다. 나는 꽈배기를 한 입 힘껏 베어 물고 입을 열었다.

"대니 최가 사과를 하고 괴롭힘을 멈추면 남진주 선생님이 생활기록부를 고쳐 주기로 한 거죠. 대신 사람들이 없는 곳에서 만

나서 사과하기로 했대요."

"그 장소가 그 골목일까? 하긴 사람이 없을 만한 곳이지."

"아무튼 그래서 용의자 1순위는 남진주 선생님입니다."

"이야, 진짜 대단하네. 대단해."

감탄인지 비아냥인지 모를 준혁 아저씨의 대답을 뒤로하고 말을 이어 갔다.

"그런데 직전에 뭐가 틀어졌는지 사과하지 않기로 했나 봐요. 그래서 흐지부지된 상태죠."

"그럼 끝난 거 아냐?"

"대니 최가 골목에서 공격을 받은 날 남진주 선생님이 연차를 내고 학교를 쉬었다고 하더라고요. 그리고 학교에서 연락을 했는데 종일 연락이 되지 않았대요."

"거, 냄새가 나는군. 어찌저찌해서 만나기로 하고 마주쳤는데 열받아서 도저히 그냥 넘어갈 수 없었나 봐."

"아니면 제대로 사과를 받지 못하니까 화가 나서 벽돌을 휘둘렀을 수도 있고요."

얘기를 듣던 준혁 아저씨가 말했다.

"적어도 한 가지는 맞아떨어지네."

"뭐요?"

"폭행이 돌발적으로 벌어졌다는 사실 말이야. 그렇다면 무겁고 감추기도 어려운 벽돌을 사용한 이유를 설명할 수 있지. 현장에 있는 걸 집어 들고 얄미운 그놈의 머리에 강타!"

준혁 아저씨는 충격을 받고 해롱거리는 표정을 지었다. 애인지 어른인지 모르게 장난 치는 모습을 보면 어떻게 가끔 번뜩이는 모습이 나오는지 의아했다. 남은 꽈배기를 먹어 치운 준혁 아저씨가 손가락에 묻은 설탕을 쪽쪽 빨면서 얘기했다.

"그쪽은 간단하네. 그 시간에 어디 있었는지 알리바이를 확인하면 되겠네."

"안 그래도 교감 선생님이 물어봤는데 아들 정신과 치료하는 데 따라갔다고 했대요."

"그걸 어떻게 믿어?"

"배불뚝이 강 형사한테 얘기해서 휴대폰 위치 추적이나 CCTV 확인해 보면 되잖아요."

"야, 그 아저씨가 얼마나 유난을 떠는지 알잖아."

준혁 아저씨는 손사래를 쳤지만 나는 남진주 선생님의 휴대폰 번호가 적힌 쪽지를 내밀었다.

"이걸로 첫 번째 용의자는 정리할게요."

주섬주섬 쪽지를 챙긴 준혁 아저씨가 물었다.

"오케이. 두 번째 용의자는?"

"빡구, 아니 강명구요."

"너한테 의뢰한 애 아니야?"

"네, 대니 최의 똘마니 중에 한 명인데 거의 오른팔 격이에요."

"1인자를 제치는 2인자라. 그림이 나오긴 하네."

"그렇게 단순하게 볼 문제는 아니에요. 둘은 성향이 안 맞아도 너무 안 맞았거든요."

"어떻게?"

"대니 최는 요리조리 살펴보고 알아본 다음에 남을 패든지 괴롭히는데 빡구는 그냥 성질 내키는 대로 저지르는 편이거든요."

"완전 상극이네."

"맞아요. 그래서 예전부터 사이가 아슬아슬했어요."

"지금은 빡구가 학교 짱이니?"

"네, 다른 똘마니들이 아직 움직이지 않고 있어서요."

"보스 뒤통수를 후려갈길 여지는 충분하네. 너한테 의뢰를 맡긴 것도 그렇고."

"왜요? 범인이 현장에 나타난 것과 비슷한 건가요?"

"비슷하지. 나만 그렇게 생각한 건 아니겠지?"

"맞아요. 학교에서는 빡구 소행이라고 보는 아이들이 많아요."

"그것 때문에 너한테 범인을 잡아 오라고 했겠지. 그럼 자기는 혐의를 벗게 되니까 말이야. 그리고 그다음에는 대니 최의 자리를 공식적으로 차지하려고 들 거고. 이런 걸 두고 일석이조라고 하지."

"저도 알거든요. 그래서 당일 빡구 행적을 좀 조사해 봤어요."

"뭐 좀 나왔어?"

"사건이 벌어진 날 피시방에 있었대요."

"그럼 부하를 시킨 건가?"

준혁 아저씨의 물음에 나는 고개를 저었다.

"대니 최가 공격당한 지점이 골목길 딱 중간이었잖아요. 그리고 숨어 있는 게 불가능했다면 거기 서서 기다려야 했어요. 빡구가 아니라 다른 아이가 거기 있었다면 대니 최는 가까이 가지 않거나 경계를 했을 거예요. 조심성 하나는 끝내줬으니까요. 그런데 얘기를 듣다 보니까 이상한 점이 있었어요."

"뭐가?"

"저녁때 한참 게임을 하다가 갑자기 밖에 나간다고 하고는 자리를 비웠다고 했어요."

"언제?"

심드렁하게 얘기를 듣던 준혁 아저씨가 눈빛을 반짝거리며 물었다.

"시간은 정확히 모르지만 대략 30분 정도였다고 했어요. 그리고 피시방에서 학교 뒤편 골목까지는 10분이면 충분해요."

"중간에 자전거나 퀵보드를 빌려서 타고 가면 시간을 더 벌 수 있지. 그런데 현장은 CCTV가 없어서 확인이 불가능하잖아."

"그럼 피시방 CCTV를 확인하면 되잖아요. 그 시간 동안 자리를 비웠다면 일단 용의자로 볼 수 있을 거고요."

"감당할 수 있겠냐?"

은근슬쩍 떠보는 듯한 말에 나는 얼굴을 찌푸렸다.

"무슨 뜻이에요?"

"빡구라는 애가 대니 최 다음이라며, 거기다 너한테 조사를 시켰는데 걔가 범인이라고 하면 넌 또 전학 가야 할지 몰라."

사실 그 부분이 가장 걱정되었다. 빡구는 빽에 밀려서 대니 최의 똘마니가 되었을 뿐이었다. 조심성 많은 대니 최가 아무도 없는 어두운 골목길에서 뒤통수를 보일 수 있는 상황을 만들 수 있는 아이이기도 했다. 동시에 범인이라고 밝혀졌을 때 가장 파장이 큰 아이이기도 하고 말이다. 생각에 잠겨 있는데 꽈배기와 공룡알을 추가로 주문한 준혁 아저씨가 물었다.

"다른 용의자는 없어?"

"더 있어요. 앞의 두 명보다는 약하지만요."

"누군데?"

"3반의 박나희요."

"여학생이야?"

"네. 빡구 옛날 여친이었다가 지금은 대니 최 여친이요."

준혁 아저씨가 고개를 절레절레 흔들었다.

"갈아탄 거야?"

"걔도 만만치 않아요. 여학생 중에서는 일진 오브 일진이라니까요."

"남학생 일진이랑 여학생 일진이랑 커플이라."

"커플이라기보다는 동맹이죠. 서로 건드리지 않는."

"환상의 짝꿍이네. 근데 어쩌다 용의자로 점찍은 거야?"

"그쪽 상황이 좀 복잡해졌어요. 나희가 괴롭혀서 작년에 전학 간 여학생 몇 명이 인권위에 신고를 했나 봐요. 근데 나희가 연예계 데뷔를 준비 중이어서 내년에 예고로 진학할 예정이고요."

"야, 애들을 괴롭히면서 어떻게 TV에 얼굴을 내밀겠다는 거야?"

"자기는 다 정당하고 이유가 있다고 생각하는 거겠죠. 어쨌든 남친인 대니 최한테 덮는 걸 좀 도와달라고 했나 봐요. 그런데 대니 최도 자기 코가 석자라서 못 도와준다고 했대요."

"삐져서 뒤통수를 벽돌로 내리친 거야? 잘 구슬렸어야지 요즘 애들은 왜 그렇게 과격해."

"그게 아니라 나희가 대니 최가 시킨 거라고 둘러대서 빠져나가려고 한 거 같아요. 그걸로 둘이 엄청 사이가 나빠졌어요."

"나쁜 편끼리 다퉜군. 떠넘기려다가 문제가 될 거 같으니까 아예 쓰러뜨린 거야?"

"어쨌든 그 일로 나희는 한숨 돌렸으니까요. 거기다 대니 최가 눈을 뜨지 못하면 완전히 떠넘길 수 있게 되는 상황이고요."

"알리바이는?"

"확인 중인데 일단 밖에는 없었던 것 같아요."

"집에 있었다고?"

"친구들도 모른다고 했어요. 학교랑 집은 버스 타고 오면 45분 정도 걸려요."

"택시 타면 20분 정도로 줄일 수 있겠지. 저녁 시간이라 차가 안 막혔을 테니까. 걔까지 세 명이야?"

"한 명 더 있어요."

"누구?"

"작년에 자퇴한 김길호라는 아이요."

"뭐 때문에 자퇴했는데?"

"대니 최한테 괴롭힘을 당하고 자퇴했대요. 제가 오기 전 일이고, 엄청 큰일이었는지 다들 쉬쉬하고 있어요."

"피해자란 얘기야?"

"네, 자퇴하고 1년 만에 나타났는데 완전 양아치가 돼서 다들 깜놀했다고 하더라고요."

"심하게 당하고 흑화한 거야?"

"만난 아이 얘기로는 가출 팸에 들어간 것 같다고 했어요."

"그리고 1년 만에 나타났다 이 말이지. 복수를 위해서였을까?"

"그건 모르겠는데 최근 학교 근처에 나타나서 아이들과 만나서 대니 최에 대해서 이것저것 물어봤나 보더라고요."

"복수를 위한 정보 수집이었을까?"

"사실상 피해자이면서 학교에서 쫓겨났으니까요. 들어 보니까 가정형편도 별로 안 좋았다고 하더라고요."

그 말을 하면서 좀 주눅이 들었다. 우리 집 역시 마찬가지였기 때문이다. 그런 나를 물끄러미 바라보던 준혁 아저씨가 말했다.

"그날 뭐 했는지를 알아봐야겠네. 지금 어디 있는지 알아?"

"연락처 받아 놨어요. 광명 쪽에 있다고 하더라고요."

얘기를 듣고 곰곰이 생각하던 준혁 아저씨가 공룡알을 포크로 꾹 찌르면서 말했다.

"그럼 김길호는 네가 만나 봐. 아무래도 범인은 아닌 것 같지만 말이야."

"왜요?"

"골목길에서 김길호가 기다리고 있었으면 대니 최가 거기까지 가지 않았겠지. 그리고 둘이 거기서 만나려면 약속을 잡아야 할 텐데 그걸 텔레그램으로 했겠어?"

"다른 사람이랑 약속한 걸 알고 공격했을 수도 있잖아요."

"골목길을 약속 장소로 잡은 걸 보면 비밀리에 만나려던 게 분명해. 그걸 어떻게 알아냈겠어? 알아냈다고 해도 거기 김길호가 있다는 걸 알면 바로 돌아섰을 거야. 결코 뒤통수를 보이지 않았을 거라 이 말이지."

"그래도 한번 알아보는 게 좋겠어요."

"그쪽은 네가 만난다고 했으니까 만나 보고 얘기해 줘. 그사이에 나는 남진주 선생이랑 빡구 알리바이 확인해 볼게. 아까 그 여자애 이름이 뭐라고 했지?"

"박나희요."

"걔 알리바이도 확인해 봐야겠네."

"방법을 찾아볼게요."

"그럼 모레 저녁에 그 골목길에서 다시 보자."

"어디 안에서 보면 안 돼요?"

"증거는 현장에 있다고 했잖아. 9시에 보자."

의자에서 일어난 준혁 아저씨가 꽈배기를 몇 개 더 포장해 달라고 하자 주인아주머니가 반색을 했다.

이틀 후, 약속 시간을 조금 넘겨서 골목길에 들어서자 가로등을 올려다보며 폼을 잡고 있는 준혁 아저씨가 보였다. 내 발소리를 들은 준혁 아저씨가 혀를 찼다.

"야, 안상태. 나를 기다리게 한 거야?"

"수사는 기다림의 연속이라면서요. 할머니 밥 차려 드리고 오느라 늦었어요."

"좀 어떠셔?"

"똑같죠. 맨날 죽고 싶다는 말만 하세요."

준혁 아저씨는 말없이 고개를 끄덕거렸다. 그러면서 가로등을 올려다봤다.

"먼저 얘기해 봐."

"광명에 가서 길호를 만났어요."

"뭐래?"

"알아보고 다닌 건 맞는데 복수를 하려고 했던 건 아니었대요."

"그럼?"

"비법을 전수받고 싶어서 만나려고 한 거였대요."

"비법? 무슨 비법?"

"애들 다루는 법이요. 가출 팸의 리더가 되었는데 애들이 말을 안 들어서 골치라고 했어요."

"맙소사. 가해자가 된 피해자야?"

"잘 모르겠어요. 어쨌든 만나지는 못했다고 했어요."

"물론 조사는 했겠지?"

"그쪽 가출 팸 애들 몇 명 만나 봤어요. 그날 광명에 계속 있었대요. 그런데 흥미로운 얘기를 들었어요."

"어떤 얘기?"

"사건이 있던 날 만나자고 했는데 다른 약속이 있다면서 거절당했다고 하더라고요. 진짜인지 아닌지 모르겠지만 거절할 거면 굳이 거짓말할 이유는 없잖아요."

내 얘기를 들은 준혁 아저씨가 고개를 끄덕거렸다.

"그럼 여기서 누굴 만나긴 만났던 모양이네. 나희라는 여자애 알리바이는 확인해 봤어?"

"네, 그 시간에 강남의 연습장에 있었데요."

"뭐 하러?"

"하반기에 방송사에서 하는 오디션 프로그램에 출연하려고 연습 중이었다고 하던데요."

"맞아?"

"그건 모르겠지만 그 시간에 연습실에 같이 있던 다른 아이를 만났어요. 밤늦게까지 연습하고 택시 타고 집에 갔다고 했어요."

"그럼 김길호랑 박나희는 아니라는 얘기네."

"맞아요. 아저씨는요?"

"일단 빡구라는 애 동선은 파악했어. 그 시간에 피시방을 나간 건 맞아."

"골목길로 온 건 아니고요?"

"근처에서 여자애를 만나서 담배 피우는 게 편의점 CCTV에 그대로 찍혔어."

"범행이 일어난 시간 동안에요?"

"응, 그러니까 자리를 비운 시간 동안 골목길에 오지는 않았다는 얘기지."

"그럼 남은 건 남진주 선생님밖에는 없네요."

"그쪽도 알리바이는 확실해. 그 시간에 상담을 받고 있었다고 병원 의사가 말했으니까."

"밤 9시에요?"

"거긴 매주 수요일에는 저녁 10시까지 문을 열어. 그러니까 이상하지는 않지."

"그럼 제가 점찍은 용의자 중에는 없는 셈이네요."

오늘이 금요일이니까 월요일까지 새로운 용의자를 추려 내고 조사해야 했지만 시간이 턱없이 부족할 것 같았다. 물론, 빡구가 그런 걸 봐주지 않으리라는 것도 분명했다. 한숨을 내쉬는데 준혁 아저씨가 눈빛을 반짝거렸다.

"대신 단서가 될 만한 건 알아냈어."

"뭔데요?"

"그때 대니 최가 사과를 하네 마네 했다며?"

"맞아요. 결국 무산된 걸로 알고 있어요."

"막판에 다시 약속을 잡았다나 봐. 그런데 그 얘기를 들은 남진주 선생의 아들이 발작을 일으키는 바람에 약속 장소로 가지 못했대. 그 장소가 바로 여기였고 말이야."

"대니 최는 취소된지 모르고 여기로 왔을까요?"

"그랬을 거야. 텔레그램으로 메시지를 보냈다고 했는데, 쓰는 친구한테 물어보니까 마침 그날 먹통이었다고 하더라."

"아무것도 모르고 여기 중간에 있는 가로등 아래에서 기다렸겠군요."

"맞아. 그리고 여기에서 공격을 받은 거지."

"그럼 범인은 대니 최가 그 시간에 여기 혼자 온다는 걸 알고 있어야 한다는 뜻이잖아요. 길호나 나희는 몰랐어요."

내 얘기에 준혁 아저씨가 고개를 끄덕거렸다.

"빡구는 그 시간에 담배를 피우고 있었고, 남진주 선생은 알고 있었지만 올 수 없었고 말이야."

"아이고."

한숨이 절로 나왔다. 사실 기회만 주어진다면 우리 학교 학생 중 절반 이상은 아마도 대니 최의 뒤통수를 후려갈겼을 거다. 학교에 폭력이 일상화된 것은 묵인 속에서 이뤄진 대니 최와 그 일당들의 짓거리 때문이었다. 대부분의 학생은 나만 아니면 된다는 생각에 숨도 크게 못 쉬고 지냈고, 폭력이 아무렇지도 않게 구사되었다. 군대에서도 구타가 사라지는데 학교에서는 만연하고 있는 셈이다. 막막함에 무심코 하늘을 바라봤다. 가로등 바깥의 희미한 어둠을 보면서 중얼거렸다.

"진짜 하늘에서 떨어졌나?"

잠깐 카톡을 보고 있던 준혁 아저씨가 내 말을 듣고는 퍼뜩 고개를 들었다.

"뭐라고?"

"하늘에서 떨어진 거 아니냐고 했어요. 도통 범인을 찾을 수가 없잖아요."

준혁 아저씨가 하늘 위, 정확하게는 축대 너머를 물끄러미 바라봤다. 그 모습을 보며 내가 중얼거렸다.

"불가능한 것을 제외하고 남은 것은 아무리 말이 되지 않더라도 진실일 수밖에 없다."

준혁 아저씨가 항상 떠벌리는 셜록 홈스의 말이었다. 제법이라는 표정을 지은 준혁 아저씨가 축대 위쪽을 바라봤다.

"너도 나랑 같은 생각 했냐?"

"그런 것 같아요."

"제법이네. 하산해도 되겠어."

"여기 평지거든요."

"고지식하긴. 올라가 보자."

축대 위로 올라가는 계단은 골목 끝에 있었다. 가파른 철제 계단을 헉헉거리며 오른 준혁 아저씨가 혀를 찼다.

"야, 아직 서울에 이런 동네가 있었네."

"재개발한다는 얘기는 있었어요."

"완전히 달동네잖아, 달동네."

준혁 아저씨는 신기하다는 듯 이곳저곳을 살펴보면서 골목길을 걸었다. 축대 위로 아슬아슬하게 붙어 있는 집들은 하나같이 작고 낮았다. 그곳에 사는 사람들도 하나같이 작을 것만 같았다. 골목길을 이리저리 헤집고 다니던 준혁 아저씨가 뭔가를 발견하고 걸음을 멈췄다. 축대와 바로 붙어 있는 작은 집 앞이었다.

"저거 봐."

준혁 아저씨가 가리킨 것은 벽돌 더미였다. 썩어 가는 의자 옆에 한 무더기가 쌓여 있었다. 준혁 아저씨를 따라 축대 아래를 바라봤다. 아까는 까마득하게 높아 보이던 가로등이 발아래 보였다.

"아까 우리가 서 있던 가로등이지?"

"네. 가로등 옆 의류 수거함 쪽에 부서진 벽돌들이 있었잖아요."

"여기서 던지면 부서지겠지?"

"사람 머리요? 아님 벽돌이요?"

"둘 다."

준혁 아저씨는 고개를 돌려서 등 뒤의 집을 바라봤다. 시멘트 블록으로 만든 담장에 녹이 잔뜩 슬어 있는 대문 너머에는 작고 낡은 집이 한 채 보였다. 까치발로 서서 안쪽을 들여다본 준혁 아저씨가 중얼거렸다.

"마당도 개판이네. 문 쪽에 노인용 보행기가 보여."

그때, 불이 환하게 켜진 방 안에서 괴성이 들려왔다. 그리고 그걸 말리는 듯한 어머니의 힘겨운 목소리도 함께 들려왔다.

"상진아, 자꾸 그렇게 벽돌 같은 걸 던지면 큰일 나. 제발 참아라, 응?"

그 말을 듣는 순간, 나는 진실을 깨달았다.

"아이고야. 진짜 하늘에서 벽돌이 떨어진 셈이네요."

준혁 아저씨도 심각한 표정으로 담장 너머를 바라보다가 돌아섰다.

"내일 동사무소나 구청 복지과에 알아봐야겠다."

"이 집 앞에서 던진 벽돌이 저 아래에서 남진주 선생님을 기다리고 있던 대니 최의 뒤통수에 떨어진 거군요."

준혁 아저씨가 가로등을 바라보며 허탈한 표정으로 말했다.

"아마도. 재수가 없어도 이렇게 없을 수가 있나?"

그 말을 들은 나는 불쑥 대답했다.

"재수가 없는 게 아니라 천벌을 받은 것일 수도 있죠."

내 표정을 힐끔 살핀 준혁 아저씨가 대꾸했다.

"그럴 수도 있지."

우리는 조심스럽게 그 집 앞을 지나서 축대 아래로 내려가는 계단에 도착했다. 그때 다시, 준혁 아저씨가 멈춰 서서는 핸드폰을 확인했다. 그걸 보고 살짝 짜증이 나서 말했다.

"내려가서 보면 안 돼요?"

"그게 아니라, 일이 재미있게 흘러가서 말이야."

"뭐가요?"

내 물음에 준혁 아저씨가 고개를 절레절레 흔들었다.

"대니 최 어머니가 기자회견을 했어. 자기 아들이 공격을 받았는데 학교에서 범인을 찾는 걸 방해한다고 말이야."

"뭐라고요?"

발끈한 나에게 준혁 아저씨가 핸드폰 화면을 보여줬다.

"그런데 기사 댓글에 대니 최가 휘두른 폭력의 피해자들이 나타나서 댓글을 달고 있어. 한두 명이 아니라서 난리가 난 모양이야. 청원도 한 것 같은데."

"그냥 넘어가지는 않겠네요."

"아무리 거대한 악도 진실 앞에서는 무력한 법이니까, 그나저나 댓글들 살벌하네."

혀를 차는 준혁 아저씨에게 퉁명스럽게 말했다.

"당연하죠. 그것 때문에 다들 얼마나 시달렸는데요."

"빡구랑 나희도 그냥 넘어가지는 못하겠네. 요즘 학폭 문제가 얼마나 민감한데 이런 어리석은 짓을 저질렀을까?"

준혁 아저씨의 말에 잠깐 생각하다가 대답했다.

"자기 아들이 다치니까 눈에 보이는 게 없었겠죠."

"거기다 자신만만했겠지. '누구도 우릴 어쩌지 못하겠지'라는 생각에 말이야. 그런데 댓글로 무너지겠네."

나는 준혁 아저씨의 말에 고개를 저었다.

"댓글이 아니라 분노예요."

"즐거운 나의 학교 같은 건 없는 거야?"

고개를 절레절레 흔든 준혁 아저씨의 말에 나는 축대 아래 있는 학교를 내려다봤다. 그곳에서 경험한 섬뜩한 폭력과 상스러운 욕설이 떠오르자 반사적으로 대답이 나왔다.

"없어요. 그런 건."

핸드폰을 주머니에 집어넣은 준혁 아저씨가 말했다.

"아무튼 해결된 셈이네. 출출한데 어디 가서 야식이나 먹자."

"네."

학교를 잠깐 바라보던 나는 준혁 아저씨를 따라 계단을 내려갔다. 다음 주부터는 좀 학교생활이 즐거워지기를 바라면서 말이다.

작가의 말

예전에 가출 팸에 관한 단편소설의 제목을 「또 하나의 가족」이라고 지은 적이 있습니다. 가족을 강조하는 모 회사의 광고 문구에서 가져온 것인데 가출 팸을 또 하나의 가족이라고 봤기 때문입니다. 실제로 가출 팸의 아이들 중 일부는 새로운 가족으로 받아들이곤 합니다. 하지만 대부분은 조건 만남과 폭력이 어우러진 비극으로 끝나고 맙니다. 「즐거운 나의 학교」 역시 그런 시선에서 지어진 제목입니다.

학교가 지옥이 된 것은 사회가 그렇게 변했기 때문이라고 저는 종종 말합니다. 학교는 사회를 비추는 거울일 수밖에 없기 때문이죠. 사회에서 벌어지는 갑질과 따돌림은 학교 안에서 고스란히, 어쩌면 더 잔혹하게 일어나기 때문입니다. 어른들이나 외부인에게는 보이지 않는 폭력이 학교 내에서 재현되고 있는 것입니다. 즐거운 나의 학교도 마찬가지입니다. 학교는 즐거워야 하는데 누군가에게는 지옥이 되기도 합니다. 하지만 우리는 학생들이 모두 즐겁게 학교를 다니기를 꿈꾸거나 혹은 강요합니다. 눈에 보이는 폭력은 사라졌지만 지능적인 괴롭힘은 늘어났고, 대놓고 따돌리는 건 줄어들었지만 그보다 잔인하게 은근히 따돌리는 일이 많아졌습니다. 고향이 전라도라서 놀림을 받고, 어머니가 외국인이라는 이유로 그 나라에 가서 살라는 조롱을 받고, 빌라에 살면 빌라거지라며 놀림을 받습니다. 심지어 책을 읽으면 이상하다며 괴짜 취급을 받습니다.

이렇게 대다수의 학생에게 학교는 전쟁터나 다름없을 겁니다. 최소한 앞에 '즐거운'이나 '행복한'이라는 수식어가 붙지도 않을 거고요. 제 소설에 등장하는 학생 중에서도 학교에서 행복감을 느끼는 경우는 없습니다. 각자 욕심과 탐욕을 채우기 위해 그리고 살아남기 위해서 발버둥을 치고 있으니까요. 너무 극단적이라고 생각할 수도 있지만 이것이 지금 학교의 현실입니다. 우리가 알고 있는 뉴스에 나온 일들은 아주 작은 일부에 불과할 뿐이니까요. 학교가 다시 즐거워지고 학생들이 행복하게 등교하려면 우리가 해야 할 일이 너무나 많습니다. 제 이야기가 그 과정의 첫 시작이었으면 하는 바람입니다.

마이너스 스쿨

초판 1쇄 발행일 | 2021년 10월 25일
초판 2쇄 발행일 | 2022년 5월 3일

지은이 | 이진 주원규 김의경 김설아 정명섭
펴낸이 | 정은영
편 집 | 문진아 최성휘 정사라
마케팅 | 최금순 오세미 김현아 오경미
제 작 | 홍동근

펴낸곳 | (주)자음과모음
출판등록 | 2001년 11월 28일 제2001-000259호
주 소 | 10881 경기도 파주시 회동길 325-20
전 화 | 편집부 (02)324-2347, 경영지원부 (02)325-6047
팩 스 | 편집부 (02)324-2348, 경영지원부 (02)2648-1311
이메일 | jamoteen@jamobook.com
블로그 | blog.naver.com/jamogenius

ISBN 978-89-544-4766-9(43810)